La légende du saule

JEANNE TRINER

La légende du saule

COLLECTION OR

Cet ouvrage a été publié en langue anglaise
sous le titre :
BY ANY OTHER NAME

La légende du saule

◊ et **HARLEQUIN** sont les marques déposées de
Harlequin Enterprises Limited au Canada
Collection Or est la marque de commerce de
Harlequin Enterprises Limited.

© 1987, Jeanne Triner. © 1988. Traduction française : Harlequin S.A.
83-85, boulevard Vincent-Auriol, 75013 Paris.
ISBN 2-280-07254-8 — ISSN 0990-3313

1.

— Allons, avance! Tu ne vas tout de même pas m'abandonner maintenant, gémit Madeline en lançant un coup d'œil angoissé à la jauge de carburant.

Catastrophe, une petite lumière rouge clignotait sur le tableau de bord.

Ouf! Enfin la station-service... Avec un soupir de soulagement, la jeune femme se rangea dans l'unique petit coin d'ombre. Ce n'était pas l'idéal, mais c'était toujours mieux que de se trouver en panne sur une route secondaire du Wisconsin, tout particulièrement par ce torride après-midi de juillet.

Madeline descendit de voiture. Comme c'était bon d'étirer ses membres raidis par l'interminable voyage depuis Nashville! Bien sûr, ce contretemps allait encore la retarder, mais elle ne pouvait s'empêcher de bénir cette halte imprévue à Rockland, le village de son enfance.

Un choc derrière son dos la fit soudain tressaillir.

— Oh non, Brandy, arrête ! cria-t-elle alors que sa chienne au pelage roux s'élançait hors de la voiture.

Madeline claqua des doigts et lui fit signe de remonter sur la banquette. L'animal lui adressa un regard pathétique avant de se résigner à obéir.

Consternée, la jeune femme nota qu'un léger nuage de fumée s'échappait du capot. Si près du but ! se lamenta-t-elle. Elle n'avait pas de chance !

— Tu viens de signer ta condamnation à mort, vieux tas de ferraille ! maugréa-t-elle en assénant un coup de pied rageur dans le pare-choc.

Le moteur émit un sifflement lugubre. Impossible de poursuivre sa route. S'abritant les yeux de sa main en visière, Madeline scruta la rue paisible bordée de maisons basses. Quel contraste avec les gratte-ciel de Chicago où elle avait vécu ces dernières années !

Eh oui, trois ans déjà s'étaient écoulés depuis son dernier passage à Rockland, et onze depuis qu'elle avait quitté l'université pour ne revenir ici que pendant les mois d'été. Pourtant rien n'avait changé, à part un feu tricolore au carrefour et quelques arbustes en pots devant un magasin. Comme elle l'aimait Rockland, immuable vestige du passé !

Tout proche, le bruit d'une porte qui se referme l'alerta. Etait-ce Dave ? se demanda-t-elle, s'attendant à voir surgir le jovial propriétaire de la boutique voisine, toujours à l'affût d'une commère avec qui bavarder sur le trottoir. O horreur ! Au lieu de l'épicier, apparut une grande femme, très élégante en dépit de sa carrure un peu masculine.

6

— Ce n'est pas possible! murmura Madeline, atterrée.

D'un geste machinal, elle lissa ses magnifiques cheveux châtains, ébouriffés par le vent. Inconsciemment, la jeune femme toucha sa frange qui dissimulait une fine cicatrice blanche.

— Seigneur, dites-moi que ce n'est pas vrai! souffla-t-elle.

Mais non, aucun doute n'était permis, il s'agissait bien d'Eleanor McCrory, la tante de son ex-époux. Elle portait un tailleur en soie bleu marine, une capeline blanche et... toujours autant de bijoux! Dans sa main, elle tenait une bouteille de lait. Etant donné que son chauffeur l'attendait dans la Lincoln noire, cette course n'était manifestement qu'un prétexte. La « Reine Eleanor » effectuait un tour en ville afin de visiter ses « sujets » — du moins c'est ce que prétendaient les habitants de la petite ville dans un cas semblable.

Autrefois, Madeline adorait la compagnie de la vieille dame, et réciproquement. Ceci du temps où Eleanor McCrory la considérait comme une ravissante et charmante jeune fille — riche de surcroît — qui deviendrait un jour sa nièce. Le cœur serré, Madeline évoqua cette époque lointaine où ils étaient amoureux, Gordon et elle, les enfants chéris du village.

Quel changement depuis cinq ans! A nouveau, elle ébouriffa ses cheveux mi-longs et brillants qui, avec son sourire radieux, l'avaient rendue célèbre du temps où elle montait sur scène. La coiffure n'avait pas changé, quant au sourire...

Figée de l'autre côté de la rue, Eleanor la contemplait, les yeux arrondis de stupeur. Bien sûr, Madeline savait que la confrontation était inévitable, dès lors qu'elle revenait dans la région, mais elle ne s'attendait pas à ce qu'elle se produise aussi tôt.

Un instant, elle eut envie de se réfugier à l'intérieur de la station-service, mais repoussa la tentation. Non, mieux valait en finir. Courageusement, Madeline enfonça ses mains dans les poches de son pantalon blanc et traversa la rue.

— Bonjour, tante Ellie, lança-t-elle. Cela me fait plaisir de vous revoir.

— Pourquoi ce mensonge? rétorqua la vieille dame d'un ton cinglant. Tu n'as pas plus envie de me voir que moi je n'ai envie de te voir.

Elle marqua une pause, toisa Madeline d'un air réprobateur.

— D'abord, pourquoi es-tu revenue? s'enquit-elle sèchement. Ici, on respecte encore le nom des McCrory, figure-toi.

— Je n'en doute pas, mais le nom des Richardson compte aussi.

— Autrefois, peut-être, cependant la façon scandaleuse dont tu as traité Gordon a changé tout cela. La ville entière a été choquée quand, à cause de toi, votre conte de fée s'est transformé en tragédie.

Les poings de Madeline se crispèrent au fond de ses poches.

— Je suis navrée, murmura-t-elle. Il n'y a pas eu de fin heureuse à notre histoire.

— A qui la faute? Depuis plus de cent ans, les Richardson et les McCrory sont les deux familles les plus en vue de la région. Grâce à votre mariage, elles étaient enfin réunies. Quand tu as quitté Gordon pour aller vivre avec ce… cet homme, tu as brisé le cœur de tout le monde et compromis ton avenir ainsi que celui de ton époux. Quel gâchis, mon Dieu!

Madeline secoua douloureusement la tête. Si Eleanor avait su pourquoi elle s'était réfugiée chez Ted, aurait-elle autant insisté pour qu'ils essaient de maintenir à tout prix leur mariage… uniquement pour sauver les apparences?

Connaissant Eleanor, la réponse aurait probablement été affirmative. D'ailleurs, la propre mère de Madeline et son oncle étaient eux-mêmes farouchement opposés à un divorce dans la famille.

— Le divorce date de trois ans, reprit-elle d'une voix lasse. Lorsque mon oncle Edward m'a légué sa propriété, j'ai décidé de m'y installer dans l'espoir d'y retrouver la paix.

— Bien entendu! s'exclama Eleanor. C'est vraiment commode pour toi que Gordon soit mort. Ainsi tu ne risques pas de rencontres désagréables. Oh oui, tu as toujours su te débrouiller pour obtenir ce que tu voulais.

— Pour l'amour du ciel, tante Ellie, s'écria Madeline au bord des larmes, j'ai seulement divorcé! Je n'ai pas tué Gordon… C'est l'alcool qui l'a tué. Tôt ou tard, un accident se serait produit…

— Tu n'éprouves donc aucun remords? Si tu

avais accepté de lui parler, comme il t'en suppliait, au lieu de lui fermer la porte au nez, il n'aurait pas bu pour se consoler. Rien ne lui serait arrivé.

— Il était déjà ivre, c'est la raison pour laquelle je ne l'ai pas laissé entrer.

Madeline se mordit les lèvres. Attention, il ne fallait pas trop en dire ! Plus tard, elle le regretterait.

— Je vous jure que je déplore ce qui s'est passé, poursuivit-elle. Contrairement à ce que vous imaginez, je n'ai jamais souhaité sa mort... et je ne veux de mal à personne.

Durant quelques secondes, Eleanor l'étudia en silence puis déclara sur un ton radouci :

— Si tu ne veux de mal à personne, va-t-en, Madeline. Ta présence ici risque de peiner les parents de Gordon.

— Enfin, Bill et Beverley vivent en Floride à présent. Ils n'ont aucun motif d'être bouleversés parce que je...

— Non, ils sont ici, coupa la vieille dame. Dès qu'il a appris que tu héritais du domaine, Bill s'est douté que tu reviendrais et il a décidé de passer quelques mois dans la région.

Au fond, le comportement de son ex-beau-père n'étonnait pas réellement Madeline.

— C'est donc lui qui cherche des ennuis, pas moi, conclut-elle simplement.

— Peut-être, rétorqua Eleanor d'une voix aigre, mais il a l'intention de défendre l'honneur de notre famille, figure-toi. Crois-tu qu'il te laissera revenir ici pour y couler des jours paisibles comme si rien ne s'était passé? Tu n'as plus droit au bonheur, Madeline, et Bill y veillera.

Là-dessus, Eleanor tourna les talons et s'en alla. Pétrifiée, Madeline la regarda s'éloigner. Bill était l'une des rares personnes à connaître la vérité sur son mariage. Bien qu'il n'ait pas approuvé sa décision de quitter Gordon, elle s'était toujours imaginé qu'il préférerait garder l'affaire secrète. Alors, pour quelle raison s'acharnerait-il contre elle? Pourquoi prendre un tel risque? Madeline baissa tristement la tête. Il la connaissait trop bien, voilà l'explication. Il devinait que jamais elle ne se résoudrait à rouvrir ses blessures mal cicatrisées, à endurer de nouvelles humiliations. Oui, sa carrière était définitivement brisée... Trop tard pour refaire sa vie... Trop tard pour tenter de reconstruire un fragile bonheur...

Soudain, des éclats de rire la tirèrent de ses réflexions désabusées. A quelques pas de là, trois hommes s'esclaffaient à propos d'un article qu'ils lisaient dans le journal local. Madeline reconnut deux d'entre eux, des fermiers des environs. Le troisième lui tournait le dos.

Ce fut sa haute taille que Madeline remarqua d'abord. Il devait mesurer plus d'un mètre quatre-vingt-cinq! Un physique de joueur de basket... Pas du tout son type, décréta-t-elle.

Puis, il renversa la tête en arrière, éclata d'un grand rire, les jambes écartées, les pouces dans les poches de son jean délavé. Madeline plissa les yeux afin de mieux l'observer. Dans cette position, il lui parut très différent : athlétique, souple et vigoureux à la fois. Il se balançait lentement d'avant en arrière dans un mouvement sensuel qui fit étrangement battre le cœur de la jeune femme.

Avec un soupir involontaire, Madeline continua de l'étudier. Ses manches de chemise retroussées découvraient des avant-bras musclés, hâlés par le soleil de juillet. En réponse à une question de ses interlocuteurs, il hocha la tête, passa ses doigts dans ses épais cheveux bruns. De temps à autre, il repoussait une mèche indisciplinée qui lui retombait sans cesse sur le front.

Plus elle le regardait, plus Madeline se sentait invinciblement attirée par cet inconnu. Voilà un homme qui sortait de l'ordinaire ! De toute sa personne émanait une impression de puissance, d'intense virilité... et pourtant il ne lui inspirait aucune crainte.

Depuis combien de temps se tenait-elle debout sur ce trottoir écrasée de chaleur, fascinée par l'étranger ? s'inquiéta-t-elle enfin, sortant de son état de transe. Au fait, qu'était-elle censée faire ici ? Ah oui, la voiture... Il fallait trouver quelqu'un pour la réparer.

Madeline poussa la porte de la station-service et esquissa un sourire quand une faible sonnerie retentit. Etant donné le tapage infernal qui régnait dans l'atelier voisin, ce bruit dérisoire ne pouvait alerter qui que ce soit !.

Elle patienta près du comptoir, appréciant le

courant d'air frais que créait le ventilateur. Comme c'était bon après la température étouffante du dehors! Avec béatitude, elle écarta les boucles humides qui barraient son front.

— Que puis-je faire pour vous, madame? fit une voix familière derrière son dos.

Madeline sursauta et se retourna. Un vieil homme, vêtu d'une combinaison de travail tachée de cambouis, la dévisageait, un sourire aux lèvres.

— Eh bien, mais c'est Madeline! s'écria-t-il. Toujours aussi ravissante, petite fille!

Penaud, il jeta un coup d'œil à sa tenue et soupira:

— Je t'embrasserais volontiers, hélas...

Sans lui laisser le loisir d'achever sa phrase, Madeline se précipita à son cou et déposa un baiser sur la joue.

— Que je suis contente que vous soyez là, monsieur Winslow! Par cette chaleur, je vous croyais assis à l'ombre de votre véranda, en train de déguster une boisson fraîche.

— Tu me connais, voyons! Jerry Winslow s'occupe lui-même de la clientèle. D'ailleurs, je ne reste jamais en place plus d'une minute.

— Enfin, vous avouez! Kara a hérité de vous ce trait de caractère. Elle est d'une activité débordante.

— Je n'avoue rien du tout. Mais, à propos, comment va ma fille? Elle ne pense jamais à me donner de ses nouvelles.

— A l'heure qu'il est, Kara doit être complètement épuisée et couverte de poussière.

— Ah bon? Et pourquoi donc?

— Votre fille s'est occupée de mon déménagement. Une affaire m'a retenue à Nashville et elle a proposé de tout superviser à ma place. Si les choses se sont déroulées comme prévu, sa journée n'a pas dû être de tout repos!

— Il est grand temps que l'un de mes enfants se rende utile! Depuis que tu les as entraînés dans ce groupe, ils ont perdu l'habitude de se fatiguer.

Ses yeux étincelant de malice, Jerry Winslow avait peine à conserver son sérieux.

— Espèce d'hypocrite! s'exclama Madeline. Je sais très bien que vous êtes fier de Denny et Kara.

Jerry contourna le comptoir, s'empara d'un paquet de cigarettes en marmonnant:

— En tout cas, j'ai parfaitement conscience que, sans toi, mes enfants n'en seraient pas là où ils en sont.

— Ne dites pas de sottises, monsieur Winslow, ils ont énormément de talent tous les deux.

— Et beaucoup de chance, enchaîna-t-il après avoir allumé sa cigarette. Soyons lucides, Madeline. Kara a acquis sa célébrité grâce à ce film sur la *country music*. Si elle a obtenu toutes ces interviews, c'est bien parce qu'elle est la meilleure amie de Melody Richards.

A l'énoncé de son pseudonyme, Madeline tressaillit.

— Kara le méritait, insista-t-elle. Elle a fourni un extraordinaire travail de création.

— Soit, et Denny joue merveilleusement de la

14

batterie… mais il n'aurait jamais pu matérialiser son rêve d'adolescent si tu ne l'avais pas fait entrer dans ton orchestre.

— Qu'y a-t-il de mal à aider ses amis?

— Rien, mais ce n'est pas mal non plus qu'on t'en remercie.

Jerry exhala un nuage de fumée bleue qui tourbillonna jusqu'au plafond, puis poursuivit :

— Ainsi, tu viens nous rendre une petite visite?

— Les gens de Rockland ignoreraient-ils mes intentions? s'étonna Madeline. Tout le monde doit savoir que je compte m'installer ici pour de bon.

— Je n'en étais pas certain, car les potins ne m'intéressent guère. En revanche, il y a une chose que je redoute : le désespoir de Kara. Elle était si heureuse que tu habites Chicago.

— Ce n'est pas une séparation définitive. Chicago se trouve à deux heures de route à peine. Et je garde un studio là-bas, ainsi qu'un pied-à-terre à New York. La ferme sera mon port d'attache… à condition que j'y arrive un jour!

Jerry prit une mine vexée.

— Ah, tout s'éclaire! Je soupçonne que ta visite n'était pas désintéressée, alors? Aurais-tu un ennui mécanique, fillette?

— Je le crains. Si vous pouviez venir voir ma voiture, vous seriez gentil. J'ai peut-être encore une chance de me trouver à la ferme avant les déménageurs.

Quand elle sortit, une bouffée d'air brûlant fit presque suffoquer Madeline. Le garagiste la suivit.

Vite, elle ouvrit la portière, versa dans un bol un peu d'eau du jerrycan posé sur le siège avant, l'offrit à Brandy.

— Je constate que tu persistes à gâter cet animal, fit Jerry taquin. Ta bonté te perdra, Madeline !

— Vous êtes bien mal placé pour me critiquer, riposta-t-elle. Je connais la façon dont vous avez élevé vos enfants !

Pendant que Jerry ouvrait le capot et se penchait au-dessus du moteur, ils continuèrent à bavarder.

— Je suppose que tu composes toujours des chansons ? fit Jerry au bout d'un moment.

Madeline esquissa un sourire qu'elle voulait mystérieux, posa un doigt sur sa bouche et chuchota :

— Oui, mais je préfère ne pas l'ébruiter, d'accord ?

— Ne te berce pas trop d'illusions ; par ici les gens t'ont vue grandir. Ce sera difficile de garder l'incognito.

— Eh bien, puisque j'ai tant de bons amis dans la région, j'espère qu'ils resteront discrets et m'aideront à éviter toute publicité.

— Bien sûr, nous respectons ta vie privée... Mais, depuis que nos concitoyens ont appris ton retour, ils attendent avec impatience que tu remontes sur scène.

— Désolée, monsieur Winslow, mais j'ai peur de ne plus en être capable.

— Quel dommage ! Ton programme de danses folkloriques était très apprécié.

— Mmmm... marmonna Madeline, penchée sur

16

Brandy. En fait, j'avais vaguement l'intention d'organiser une fête folklorique à l'automne, mais les gens viendront-ils? D'après Eleanor, la ville entière s'est liguée contre moi.

Un soupir lui échappa et elle reprit, amère:

— Au fond, elle a sans doute raison. Personne ne voudra mécontenter les McCrory.

— Tranquillise-toi, la rassura Jerry en se relevant. Ton charme opérera comme au bon vieux temps. Ils changeront vite d'avis à ton sujet.

Jerry s'essuya les mains à l'aide d'une serviette en papier et conclut:

— N'es-tu pas notre célébrité locale? Jamais nous ne t'oublierons!

— Pourtant, c'est ce que je souhaiterais. J'ai besoin de calme.

— Bien entendu, je ne vais pas dire à tout le monde que Madeline Richardson, alias Melody Richards, s'installe à Willow Shores! Mais ne me demande pas de t'ignorer. Il est légitime de souhaiter préserver ta vie privée, mais n'exagères-tu pas un peu?

— S'il me plaît de jouer à la star mystérieuse?

— Certes, tu en as le droit. Mais les mauvaises langues vont se déchaîner, surtout si tu ne prends pas la peine de te défendre.

— Il est parfois plus facile de supporter les calomnies plutôt que la vérité.

Madeline marqua une pause avant de changer de sujet.

— Alors, quel est votre verdict? s'enquit-elle en désignant le moteur.

— Un problème de pompe. Avec cette température, je doute que tu puisses poursuivre ta route.

— Y a-t-il moyen de la réparer?

— Oui, mais on ne me livrera pas la pièce avant plusieurs jours.

— Aïe! Que vais-je faire? Il faut absolument que j'aille à la ferme.

— J'aimerais bien t'y conduire moi-même, mais je n'ai pas d'ouvrier pour me remplacer avant cinq heures. Attends, j'ai une idée... Tu vois cette camionnette marron, là-bas? Elle appartient à Adam Crawford. Ce nom te dit-il quelque chose?

— Evidemment, il s'agit de l'homme qui cultive les terres de ma propriété.

— Hum... J'ai l'impression qu'il ne l'exprimerait pas de cette manière.

— Comment l'exprimerait-il donc?

— Eh bien, il dirait qu'il est le professeur qui dirige la ferme expérimentale de l'Université du Wisconsin.

— Ce qui revient au même, non? Essaies-tu de me faire comprendre que ce personnage est pédant?

— Non, pas du tout. Du reste, on le connaît peu. Il ne sort guère du domaine et ne se montre pas liant. Mais enfin, d'après ce que je sais de lui, ce jeune homme semble fort sympathique. Il possède le sens de l'humour, rend volontiers service... et il est très beau garçon, ma foi.

Jerry s'interrompit un instant avant d'ajouter sur le ton de la confidence:

— Hélas, même des gens charmants peuvent avoir de mauvaises fréquentations…

— Que voulez-vous dire par là? s'enquit Madeline. Vous m'inquiétez!

— Eh bien voilà, déclara Jerry, M. Crawford entretient d'excellentes relations avec Bill McCrory.

Le sourire de Madeline s'effaça.

— Oh, non! Bill a dû lui raconter des horreurs sur mon compte…

— Sans doute, cela ne m'étonnerait guère! Il paraît qu'Adam Crawford a fait son service militaire avec le frère aîné de Gordon et qu'il était à son côté lorsqu'il a été tué au Viêt nam. Dès son retour, il a rendu visite à la famille de son camarade disparu et, depuis, il est toujours resté en contact avec Bill.

Les sourcils froncés, Madeline réfléchit un moment en silence. Elle avait peu connu Warren, le frère de Gordon. La famille n'évoquait jamais les circonstances de sa mort si bien que, par délicatesse, elle s'était gardée d'aborder ce sujet douloureux. A présent, la jeune femme le regrettait. Peut-être ses rapports avec Adam Crawford en auraient-ils été facilités.

Jerry se racla la gorge et enchaîna:

— A propos, es-tu au courant de l'incendie qui a détruit la métairie?

— Oui, on m'a prévenue. Bizarre, tout de même… Cet accident se produit à peine deux jours avant mon retour. C'est une coïncidence troublante. En tout cas, il faudra du temps pour tout remettre en état.

— Cela complique la situation remarqua Jerry en refermant le capot.

D'abord, Madeline ne saisit pas le sens de cette remarque. Puis, consternée, elle s'exclama:

— Le professeur s'est installé à la maison, c'est bien ça?

Sans attendre la réponse, elle reprit:

— Naturellement, où irait-il sinon? Son logement est en ruine ou presque... Non loin de là se trouve la ferme que personne n'occupe. Pourquoi se gênerait-il?

Accablée, Madeline ferma les yeux. Décidément, cette journée était placée sous le signe de la malchance! Elle qui aspirait au calme, se retrouvait avec un inconnu sous son toit. Pourtant, elle aurait dû prévoir qu'il s'installe chez elle et prendre ses dispositions...

Il fallait reconnaître que, ces derniers temps, Madeline ne s'était pas préoccupée de grand-chose en dehors de sa musique. Elle avait composé les douze chansons destinées au prochain album de Denny Winslow. La jeune femme comptait ainsi avoir tout son temps à consacrer à son emménagement.

J'avoue que cette nouvelle ne me réjouit guère, déclara-t-elle enfin.

— Ah? Je pensais que tu t'en doutais.

— Non. Et cela m'ennuie d'avoir un ami de Bill dans ma propre maison. Pourquoi n'en avez-vous rien dit à Kara?

20

— C'est simple, si Kara t'avait informée, tu serais restée à Chicago. Et cela aurait été une erreur. Tu es chez toi à Rockland, le temps de l'exil est fini. Tant pis si cela ne plaît pas aux McCrory !

Comme Madeline se contentait de le fixer sans mot dire,
il acheva sur un ton plus léger :

— Ne t'inquiète pas, tout ira bien. Je te répète qu'Adam est charmant. Son seul défaut est de trop côtoyer Bill McCrory. Tu devras mettre certaines choses au point avec lui. Je te fais confiance, tu sais t'y prendre avec les gens !

— C'était vrai autrefois...

— Si j'avais su, j'aurais eu moi-même une petite conversation avec Adam. Bill n'a pas dû lui raconter toute la vérité, loin de là !

— Vous avez eu raison de vous abstenir, approuva Madeline. Cela n'aurait fait qu'aggraver les malentendus.

— N'oublie pas que tu es chez toi. S'il est désagréable, tu n'as qu'à le prier d'aller se loger ailleurs !

D'un signe de tête, il poursuivit :

— Justement le voilà, là-bas, devant le bazar. Veux-tu que je te le présente ? S'il doit t'accompagner, ce serait peut-être une bonne idée.

Madeline pivota... et reconnut la silhouette de l'étranger qui l'avait tant intriguée tout à l'heure. Le sort s'acharnait sur elle !

— Qu'as-tu ? s'enquit Jerry.

— Moi ? Rien du tout. Allons-y. Si je veux

21

arriver chez moi aujourd'hui, il me faudra tôt ou tard faire la connaissance d'Adam Crawford.

Un aboiement de Brandy la fit s'interrompre. Sagement installée sur le siège arrière, la chienne regardait sa maîtresse d'un air implorant. Prise de pitié, Madeline la fit sortir, attacha sa laisse à une poignée. Ce faisant, la jeune femme réfléchissait. Malgré l'envie qu'elle en avait, elle ne pouvait ordonner à ce M. Crawford d'interrompre ses cours. L'université bénéficiait d'un bail sur les terres cultivables. En théorie, le professeur n'avait pas le droit de résider dans l'habitation principale, mais ne serait-ce pas une grave erreur de le renvoyer?

Et puis, il y avait un autre problème qui l'intriguait et l'inquiétait à la fois: celui de l'incendie qui avait dévasté la métairie. Devait-elle l'interpréter comme une mise en garde? Son retour devait rendre les McCrory furieux. Mais de là à commettre cet acte criminel...

— Prête, Madeline? s'enquit Jerry.

D'un geste autoritaire, il la prit par le coude et l'entraîna de l'autre côté de la rue.

— Laisse-lui une chance, chuchota-t-il. Rappelle-toi que tout ce qu'il a entendu dire sur toi provient de Bill.

— Par conséquent, il s'attend à rencontrer une espèce de sorcière, ironisa-t-elle.

— Mettons simplement que tu risques de lui causer un choc.

— Auquel cas, nous partirons à égalité...

22

2.

Quand il entendit Jerry l'appeler, Adam se retourna et les salua d'un large sourire. Madeline retint sa respiration en découvrant pour la première fois son beau visage aux traits énergiques.

D'une démarche souple, il s'avança vers elle, remonta ses lunettes de soleil sur son front, la détailla sans vergogne. Ses yeux avaient une expression amicale — des yeux de velours brun, pétillants de gaieté. De toute sa personne émanaient une aisance innée, une désinvolture bon enfant.

Sous ce regard scrutateur, Madeline ne savait quelle contenance adopter. Furieuse, elle se sentit rougir et se traita d'idiote. Allons, il fallait se ressaisir et donner une impression d'assurance... même si ce n'était qu'une façade. Adam Crawford approcha et s'exclama :

— Mon cher Jerry, présente-moi cette beauté ! Son sourire m'éblouit.

23

Il y avait dans ses prunelles une lueur espiègle qui le faisait ressembler à un petit garçon. Et sa voix correspondait à son physique : grave, sensuelle. Un instant, Madeline se perdit dans de folles rêveries. Elle imaginait Adam lui chuchoter des mots tendres à l'oreille tandis qu'elle se blottirait contre lui... dans l'attente d'un baiser qui l'emporterait dans un tourbillon passionné... Ce fut le toussotement de Jerry qui la ramena brutalement à la réalité. Que lui arrivait-il ? se demanda-t-elle avec inquiétude, elle n'était pas femme à se troubler face au premier venu !

L'air coupable, elle écouta son vieil ami qui déclarait :

— Adam Crawford, j'aimerais te présenter une jeune femme exceptionnelle... Madeline Richardson, acheva-t-il après une brève hésitation.

Ainsi qu'elle l'avait prévu, le sourire d'Adam disparut comme par enchantement, métamorphosant son visage. Bill avait sans doute noirci son personnage pour provoquer une telle réaction.

Madeline lui tendit la main, mais il l'ignora.

— Enchanté de vous connaître, madame Richardson. Nous ne vous attendions pas si tôt.

— Euh... Eh bien, une affaire urgente m'a obligée à précipiter mon départ. Mais je vous avais prévenu par télégramme...

— Je me suis absenté quelques jours, si bien que votre message ne m'est pas parvenu. Dommage, si j'avais su, j'aurais averti Bill. Sans doute aurait-il été très intéressé d'apprendre votre retour dans la région.

24

Etait-ce une manière détournée de lui faire comprendre la nature de ses relations avec son ex-beau-père ? La gorge nouée, elle tenta de sourire et répondit :

— Rassurez-vous, je parie qu'il est déjà au courant. D'ailleurs, j'ai vu Eleanor il y a quelques instants… Les nouvelles circulent vite à Rockland.

— Ah, je détecte du mépris dans votre voix !

— Vous vous trompez ! Je suis née à Rockland et cette ville est chère à mon cœur.

— On m'a informé de tous les détails vous concernant.

Jugeant plus prudent de s'éclipser, Jerry intervint :

— Désolé, un client m'attend à l'atelier. Si vous permettez, je vous laisse…

Avant de partir, il embrassa Madeline et poursuivit :

— Je te rappelle dès que ta voiture est réparée. Si tu as besoin de moi, n'hésite pas.

Puis il s'éloigna, le dos un peu voûté. Au moment où il rentrait dans la station-service, Adam déclara d'une voix sèche :

— Je vous avouerai franchement que j'espérais avoir terminé la moisson avant votre arrivée.

S'il comptait la mettre en colère, il en serait pour ses frais ! Madeline n'allait pas lui donner ce plaisir.

Avec un sourire angélique, elle riposta :

— Mais je suis d'un caractère accommodant, monsieur Crawford, et soyez rassuré : la gestion de la ferme ne m'intéresse en aucune façon. Je la laisse à votre compétence.

L'espace d'un instant, il parut désarçonné, mais bien vite il se ressaisit.

— Je suis ravi de l'apprendre. A propos, partez-vous immédiatement?

— Je voudrais bien. Mais ma voiture est en panne et si vous acceptiez de...

— Vous êtes la propriétaire, coupa-t-il. Je suis à vos ordres. De toute façon, cette camionnette appartient à la ferme. J'aurais mauvaise grâce de refuser.

— Je ne vous en voudrais pas si vous le faisiez. Mais ce serait dommage. Nous perdrions une occasion de discuter de nos futurs rapports. Après tout, nous allons cohabiter, monsieur Crawford. On m'a dit que vous occupiez l'aile réservée aux invités...

D'un geste sec, il remit ses lunettes sur son nez. Son visage n'exprimait aucune émotion.

— Comme vous voudrez, fit-il. Je vais amener la camionnette jusqu'ici pour y charger vos bagages.

Mal à l'aise, Madeline le vit s'éloigner. Comment réussirait-elle à dominer la situation?. Si Adam Crawford persistait à se montrer hostile, l'un des deux s'en irait. Quelle que soit l'issue du conflit, Madeline en serait la perdante. Ou elle devrait abandonner sa maison, ou il lui faudrait résilier le bail consenti par son oncle.

Bien entendu, il existait une troisième solution: autoriser l'université à continuer son programme mais demander un changement de directeur. Auquel cas, Bill McCrory raconterait à tout le monde qu'elle avait fait renvoyer son « ami » et ruiné sa carrière sans aucun scrupule.

En proie à une immense lassitude, Madeline ferma les yeux, hantée par le passé. Quand Gordon avait fini par demander le divorce en l'accusant d'adultère, elle avait consenti à tout, trop heureuse d'être débarrassée de lui. A l'époque, elle vivait à Chicago et, dans l'immense métropole, nul ne se souciait d'une divorcée, ni des motifs de son divorce.

Après cela, Gordon était retourné à Rockland, anéantissant le rêve de Madeline de s'y installer un jour. Et puis, l'oncle de la jeune femme lui avait légué Willow Shores, Gordon était mort et les McCrory avaient quitté la demeure familiale pour aller s'installer en Floride.

Madeline avait beaucoup réfléchi avant de se décider à revenir à Rockland. A coup sûr, il lui faudrait répondre à des questions indiscrètes. Cela encore ne l'effrayait pas trop. Le plus difficile serait d'affronter les McCrory. Mais pour vivre à Rockland, elle était prête à courir le risque de les trouver sur son chemin.

Evidemment, jamais elle n'aurait cru possible qu'un ami de Bill habite une aile de sa propre maison. Selon toutes les apparences, Adam Crawford ne lui rendrait pas la vie facile. Il devait même lui en vouloir d'avoir causé tant de peine à son ami.

Rien d'étonnant à ce qu'il ait ajouté foi aux mensonges de son ex-beau-père. Parfois, elle se prenait à penser que Bill, et peut-être Gordon lui-même, étaient parvenus à s'en convaincre. Comment prouver leur perfidie? Madeline n'avait aucune preuve à offrir. C'était la parole de Gordon contre la sienne.

Du reste, elle ne s'attendait pas à ce qu'on la croie. Non, Madeline ne se confierait à personne… surtout pas à Adam Crawford.

Aussi, pour le moment, la seule attitude convenable consistait à garder son calme et à être franche avec lui… franche à propos de tout, sauf de son mariage. Cela suffirait-il à améliorer leurs relations?

Sortant de sa rêverie, Madeline s'aperçut qu'Adam avait déjà ouvert la portière de sa voiture et empilait ses bagages dans la camionnette. Affolée, elle chercha Brandy du regard… et ne put retenir un éclat de rire en découvrant la chienne qui trônait sur le siège du conducteur.

A sa grande surprise, Adam l'accueillit aimablement.

— Excusez-moi de ne pas vous avoir attendue pour ouvrir le coffre. Ce féroce chien de garde n'a pas manifesté quand je me suis glissé à l'intérieur de votre voiture.

Quel sourire ensorcelant! songea Madeline avec un sentiment de regret. Il était tout à fait charmant quand il se détendait ainsi. Ah, si seulement cet état de grâce pouvait durer!

— Attention, ne vous y fiez pas, fit-elle en plaisantant. Brandy peut se montrer dangereuse. Plus d'un homme courageux a succombé sous ses coups de langue et ses fougueuses démonstrations de tendresse. Dans ces cas-là, une seule défense possible: la coucher sur le dos et lui gratter le ventre.

28

— Je l'ai compris ! Trop tard...

Leurs regards se croisèrent et Adam se rembrunit. Fini le moment de complicité, se dit Madeline, résignée. Comme elle se penchait à l'intérieur de la voiture pour s'emparer d'une valise, il lui agrippa le poignet. La pression de ses doigts était douce mais ferme. Un sentiment de panique familier envahit la jeune femme. Elle se dégagea un peu trop vivement, ce qui parut étonner et embarrasser Adam. Après un bref silence gêné, il lança :

— Laissez-moi faire, vous devez être habituée à ce que les hommes se montrent galants. Ou peut-être craignez-vous que je salisse vos luxueux bagages en cuir ?

Les hostilités reprenaient. Surtout demeurer impassible, s'exhorta-t-elle. Ne pas rentrer dans son jeu.

— Rassurez-vous, monsieur Crawford, murmura-t-elle, je ne songeais pas à cela. Et je suis sûre que vous êtes naturellement galant. Continuez, je vous en prie. Pendant ce temps, je vais remettre les clés à Jerry avant d'aller prendre une boisson fraîche au café d'en face.

Sur ce, elle le planta là, sans lui laisser le temps de riposter.

Lorsque Madeline pénétra à l'intérieur du modeste établissement, un groupe d'habitués occupait la table du coin. Par chance, leur conversation les absorbait tant qu'ils ne la remarquèrent pas. Assez nerveuse, la jeune femme s'avança vers le bar et grimpa sur un tabouret. Une seconde plus tard, Sara Daniels, la propriétaire, surgit de l'arrière-salle. Avec un rapide coup d'oeil à ses autres clients, elle déclara à voix basse:

— Ça alors, quelle surprise! Notre vedette est de retour.

D'un regard perçant, elle détailla Madeline.

— Tu as minci, Madeline. A part cela, tu n'as pas changé.

— Ici non plus, rien n'a changé, répliqua la jeune femme avec un sourire. J'y retrouve mes souvenirs d'enfance. Tu te rappelles quand je venais boire des citronnades bien fraîches, l'été? Presses-tu toujours toi-même les citrons?

— Naturellement, mon trésor. En désires-tu un verre?

Madeline acquiesça. Sara sortit une carafe du réfrigérateur et enchaîna:

— Le bruit courait que tu allais revenir, mais je ne savais pas que ce serait aussi vite.

— A dire vrai, moi non plus! Tout s'est décidé la semaine dernière.

Mon programme a été modifié, et puis j'avais une affaire à régler ici, voilà pourquoi j'ai hâté mon départ.

Avec délice, elle avala une gorgée de citronnade que Sara venait de lui offrir. La propriétaire du bar se pencha pour chuchoter:

— Ainsi c'est vrai que tu n'es là que pour affaires?

— Toujours aussi curieuse, notre Sara! Eh bien,

pourquoi ne me poses-tu pas tout simplement la question ?

— Bon, maugréa Sara, d'après les rumeurs, tu aurais l'intention de lotir le domaine de Willow Shores.

De stupeur, Madeline faillit s'étrangler.

— Répète-moi ça, s'il te plaît.

— Tu vois, je t'ai posé la question sans détour, et voilà où cela me mène ! Ecoute, certaines personnes prétendent que tu souhaites acheter une bande de terrain en vue de construire une route le long de ta propriété — route qui te permettrait d'aménager un village de vacances au bord du lac.

— A ton avis, qui peut répandre ce genre d'idiotie ?

— Tu ne devines pas ? Sans nul doute quelqu'un qui te touchait de près, autrefois.

Sara remplit à nouveau le verre de Madeline et ajouta :

— En fait, ce ne serait pas une mauvaise opération financière. Ces rives du lac possèdent de la valeur pourtant tu n'en fais rien. Quant à la ferme, elle ne te rapportera rien tant que l'école d'agriculture l'utilisera.

— Tu sais pertinemment que les Richardson n'ont jamais eu le sens des affaires en ce qui concerne le domaine. Oui, je cherche à acheter du terrain pour une route, mais me crois-tu réellement capable de vendre ne serait-ce qu'une parcelle de Willow Shores ?

— Je n'ai jamais dit que je le *croyais*, rétorqua

31

Sara d'un air digne. Au contraire, j'ai traité d'imbéciles ceux qui colportaient ces faux bruits.

— Bravo! Fais-moi confiance, Sara. Je vous réserve une surprise, à l'automne prochain pour la fête du maïs. Si tout se passe comme je l'espère, les gens de Rockland seront contents.

D'un geste amical, elle serra le bras de Sara et ouvrit son porte-monnaie.

— Si tu oses me payer ta consommation, Madeline Richardson, je n'irai pas à ta fête!

Alertés par cet éclat de voix, plusieurs clients levèrent la tête et se dérangèrent pour saluer Madeline. Après quelques plaisanteries, la conversation s'orienta vers la soirée dansante que les Richardson donnaient chaque année à la ferme, à l'occasion de l'effeuillage du maïs.

Durant un siècle, cette manifestation avait constitué l'événement majeur au sein de la petite communauté de Rockland. Et puis, l'oncle Edwards était tombé malade, Madeline avait quitté le pays. Plus personne pour organiser la joyeuse réunion populaire!

L'enthousiasme de son enfance renaissait dans le cœur de Madeline. Dans le petit café, l'excitation était à son comble, la perspective de renouer avec la tradition semblait ravir tout le monde. Déjà, on formait des projets, on échafaudait des plans.

Alors que Madeline s'apprêtait à partir, Sara lui adressa un clin d'œil complice. Son message était clair: grâce à cette déclaration, les gens allaient parler de la jeune femme en termes favorables.

Peut-être écouteraient-ils moins les fausses rumeurs propagées par les McCrory...

Sur le parking de la station-service était garée la camionnette marron. Assis au volant, Brandy sur ses genoux, Adam caressait le pelage roux de la chienne. Et il lui parlait! rémarqua Madeline, étonnée. A pas de loup, elle s'avança sans être vue. Adam ressemblait à un petit garçon s'amusant avec un jeune chiot. De toute évidence, il pouvait se montrer affectueux et il aimait rire. Dommage qu'il refuse de dévoiler sa vraie nature en la présence de la jeune femme.

Soudain, une voiture klaxonna; Adam se retourna et découvrit Madeline qui l'observait. Aussitôt il descendit de voiture, s'empressa de lui ouvrir la portière. Comme il la prenait par le coude pour l'aider à monter, elle éprouva un curieux frisson. Ce contact même anodin avait provoqué en elle un émoi agréable, si doux... En avait-il en seulement conscience? Impossible de le deviner.

— Prenez garde à ne pas abîmer vos beaux vêtements dans cette vieille camionnette! lança-t-il. Si vous vivez à la ferme, il vous faudra changer de style.

Tandis qu'il se glissait sur son siège, la jeune femme s'irrita de tant s'intéresser au physique de son compagnon. Ce n'était pourtant pas le moment de réveiller sa sensualité endormie depuis si longtemps! Il lui fallait plutôt garder la tête froide afin de déjouer les ruses de son ex-beau-père. Au fond, le professeur n'était peut-être qu'un pion sur son échiquier. Et ce serait dramatique de se laisser troubler par sa seule présence !

Echaudée par sa mésaventure avec Gordon, Madeline avait soigneusement évité toute complication sentimentale. Pourtant, beaucoup d'hommes s'étaient montrés empressés... sans que la jeune femme soit tentée par une aventure. Contrairement à la réputation que lui avait bâtie Bill, Madeline n'était pas une femme légère, une séductrice avide de conquêtes. Au contraire. Pendant tout le temps qu'avait duré son mariage, elle avait été d'une fidélité exemplaire même si Gordon l'avait maintes fois bafouée. Comme elle le vénérait alors... Depuis l'enfance, ils étaient des compagnons inséparables.

Durant toute la durée de leurs études, Madeline avait été la princesse de conte de fée et Gordon, son prince charmant. Ils ne s'étaient séparés que lorsque Madeline avait dû aller à New York pour étudier la musique. Une séparation qu'ils avaient tous deux trouvée très pénible.

A vingt-trois ans, elle l'épousa. Déjà sous le pseudonyme de Melody Richards, Madeline était devenue une vedette internationale aux fabuleux cachets. Peut-être Gordon avait-il pris ombrage de son succès ? En tout cas, il n'avait jamais fait preuve de compréhension.

Evoquant ce passé révolu, Madeline réprima un frisson. Dire que, durant toutes ces années d'intimité avec Gordon, elle n'avait jamais soupçonné sa véritable nature !

Furtivement, elle jeta un coup d'œil à Adam. S'il était réellement proche des McCrory, il devait la haïr. Cette pensée la dérangeait un peu mais qu'y faire ?

Jusqu'à l'âge de vingt-cinq ans, Madeline n'avait cessé de quêter l'approbation de son entourage : celle de sa mère, d'abord ; celle de ses fans, ensuite ; et enfin celle de Gordon. A ses yeux, il ne s'agissait pas d'une faiblesse de caractère. Son désir d'être aimée lui semblait légitime.

Et puis, après son divorce, la jeune femme s'était résignée ; il y avait trop de gens qui la maudissaient, trop de gens prêts à croire n'importe quel mensonge. Adam Crawford en faisait partie… pourquoi en souffrait-elle autant ?

Oui, pourquoi réagissait-elle ainsi ? s'interrogea Madeline avec une irritation croissante. Pas question de gaspiller ses forces juste au moment où elle rentrait chez elle. Non, pas question que le séduisant Adam Crawford vienne bouleverser son fragile équilibre, acquis au prix de tant d'efforts !

3.

Adam fulminait au volant de la camionnette. Quelle calamité! Pourquoi le destin l'obligeait-il à côtoyer une personne que ses amis McCrory le poussaient à haïr? Jamais il n'aurait imaginé que Madeline Richardson produirait un tel effet sur lui!

D'après ce qu'on lui avait dit, il s'attendait à rencontrer une séductrice odieuse. A sa stupéfaction, Madeline ne correspondait en rien à ce portrait. Au contraire, c'était la femme la plus charmante qu'il ait jamais rencontrée. Et quel sourire...

Grande et mince, mais avec des courbes féminines... très féminines, même. Il la revoyait, debout sur le trottoir. Comme elle paraissait fraîche, en dépit de la chaleur torride! Les mains dans les poches de son pantalon blanc immaculé, son léger blouson négligemment ouvert qui laissait deviner sa poitrine sous son corsage bleu... A plusieurs reprises, elle avait rougi de confusion. Comportement bizarre de la part d'une femme de sa réputation !

Oh, on l'avait bien prévenu : Madeline était une sorcière. Eh bien, elle l'avait ensorcelé ! Avec quelle sérénité elle répondait à ses remarques désagréables ! Pas une fois elle ne s'était mise en colère. Pourtant, il n'avait pas été tendre. Oui, elle ne manquait pas d'aisance mais, dans son regard, on discernait une détresse cachée. Quels beaux yeux elle avait, bleu saphir, de véritables pierres précieuses aux nuances changeantes selon son humeur.

En quoi était-elle différente ? S'il parvenait à le déterminer, il pourrait lutter contre cette attirance qu'il sentait naître en lui. Peut-être était-ce un détail tout simple — ses cheveux, par exemple. Des cheveux sombres, avec des touches de brun plus clair et quelques mèches argentées. A son âge, il ne pouvait s'agir d'une couleur naturelle ! Cette chevelure souple et brillante aux reflets fauves et argentés, auréolait de mystère un visage aux traits ciselés.

Adam étouffa un soupir. *Attention, mon vieux, ne te laisse pas séduire par une apparence trompeuse !* Ah non, il en savait trop long sur Madeline Richardson pour tomber idiotement dans le piège. Grâce à Bill, il avait appris que cette femme était prête à tout pour obtenir ce qu'elle voulait... et capricieuse, par-dessus le marché !

Madeline avait épousé Gordon parce qu'il était avocat, qu'il possédait une luxueuse villa à Evanston, un beau quartier de Chicago, qu'il hériterait de la fortune des McCrory.

Ensuite, toujours d'après Bill, elle avait décrété que les avocats l'ennuyaient à mourir. Par l'intermédiaire de Denny Winslow, elle s'était intéressée au monde de la musique... Au passage, une brève mais ardente liaison avec son ami d'enfance.

Il se souvint des guitares et des banjos qu'il avait empilés dans la camionnette... et du qualificatif de Bill : une pseudo-musicienne dépourvue de talent.

En dépit de tout, le pauvre Gordon continuait à l'adorer. Madeline l'avait quitté une première fois pour revenir puis elle était repartie de nouveau vivre avec un certain Ted Ruffin, juriste prospère de Chicago spécialisé dans le domaine de la musique.

Et la liste de ses méfaits ne s'arrêtait pas là... Après son divorce d'avec Gordon, Madeline avait également quitté Ted. Bill ne lui avait pas révélé avec qui elle vivait à présent, mais à en juger par ses vêtements et ses bagages, elle se débrouillait bien... très bien, même, pour quelqu'un qui n'occupait aucun emploi, en apparence du moins. De deux choses l'une, ou ses amants successifs étaient aussi riches que Gordon et Ted Ruffin, ou le règlement du divorce l'avantageait de façon scandaleuse.

Quoi qu'il en soit, l'argent ne constituait pas un problème pour elle, se dit-il en résistant à la tentation de la regarder. Le lotissement de la propriété lui rapporterait une fortune. Ah, son habileté à manipuler les gens était remarquable ! Dès qu'on avait appris que sa tante Kate souffrait d'un cancer, Madeline avait abandonné Gordon à Chicago pour se précipiter à Willow Shores et y jouer à l'infirmière dévouée. Ed et Kate s'étaient laissés prendre à la comédie de leur nièce bien-aimée. La preuve : ils lui avaient légué leur magnifique domaine au bord du lac.

Après la mort de sa femme, Ed s'était senti lié par cette décision. Le divorce de Madeline avait pourtant été un sujet de discorde entre eux et selon Bill, Ed aurait souhaité offrir la ferme à l'université. Hélas, il n'avait pas eu le temps de modifier son testament. Sa deuxième attaque l'avait considérablement amoindri et Madeline le savait. Elle ne s'était pas dérangée pour venir le soigner. A quoi bon, puisque son avenir était déjà assuré ?

Comme il s'arrêtait à un stop, Adam jeta un coup d'œil à sa voisine. Rêveuse, elle contemplait le paysage. Il nota la cicatrice à la tempe, unique défaut d'un visage presque parfait. L'espace d'une seconde, un étrange sentiment de tendresse le submergea. Avec un geste d'impatience, il se ressaisit.

Difficile de croire à la noirceur d'âme de cette ravissante créature ! Peut-être les McCrory étaient-ils aveuglés par leur haine ? Après tout, Madeline n'était-elle pas responsable de la mort de leur fils ?

Décidément, quelque chose n'allait pas dans cette histoire. D'abord, pourquoi Jerry Winslow, un homme d'une grande rigueur morale, semblait-il protéger une femme qui avait entretenu une liaison avec son propre fils ?

Quel imbroglio... Même si certains faits étaient déformés, la situation d'Adam restait délicate. Pas question d'interroger les McCrory, ni les gens de Rockland, d'ailleurs. Cela risquerait de blesser cette famille à qui il devait tant. Pas question non plus de céder aux sortilèges de cette séduisante jeune femme.

Comme si elle lisait dans ses pensées, Madeline déclara soudain d'une voix douce :

— Eh bien, professeur, il est évident que vous avez décidé de me détester avant même de me rencontrer. Rien d'extraordinaire à cela étant donné vos fréquentations. Mais nos rapports n'en seront pas facilités.

Elle fit tourner la bague qu'elle portait au petit doigt. Comme ses mains étaient fines et gracieuses, nota Adam, malgré lui.

— Je n'ai pas consulté les documents, poursuivit-elle, cependant je suppose que mon oncle a accordé un bail à long terme à votre université.

— En effet, nous avons un bail, mais il viendra à expiration à la fin de l'année. A ce moment-là vous pourrez me mettre à la porte.

— J'espère sincèrement que nous n'en arriverons pas à une telle extrémité. Si l'un de nous deux doit partir, ce sera vous, c'est évident. Néanmoins, seuls la maison, le jardin et le bord du lac m'intéressent. Quant à la ferme, que ce soit l'université ou un quelconque métayer qui l'exploite, cela m'est égal. Vous pouvez donc rester du moment que nous acceptons de cohabiter en bonne intelligence.

— Savez-vous que l'université ne paie rien pour l'utilisation des terres, ni en espèces ni en nature ?

— Je sais... Cela aussi m'est égal.

— Ah bon? Votre oncle a dû vous léguer une coquette fortune. Ou alors vivez-vous toujours sur l'argent de Gordon?

Allait-elle réagir? Non. Impassible, Madeline se contenta de le fixer sans trahir ses sentiments. Ce qui eut le don d'agacer Adam.

— Qu'attendez-vous de moi, au juste, madame Richardson? Que je me prosterne à vos pieds pour vous remercier? Je devine que vous essayez de manigancer quelque chose. Quoi? Je l'ignore.

A ces mots, les yeux bleus de Madeline prirent une couleur d'orage. D'un ton neutre, elle riposta:

— Désolée de vous décevoir mais pour reprendre vos termes, je ne manigance rien du tout. Je m'efforce seulement de clarifier une situation difficile. Pour être honnête, je préférerais que vous vous en alliez. Toutefois, pour respecter la volonté de mon oncle, je ne tenterai pas d'annuler le bail. La métairie sera réparée et je ne me mêlerai pas de vos affaires. En ce qui concerne l'avenir, nous aviserons. Inutile de nous lier par un contrat de longue durée que nous risquons de regretter par la suite.

A nouveau, elle appuya son front contre la vitre et murmura:

— Que puis-je faire de plus pour vous?

Cette femme était redoutable, estima Adam. Elle paraissait sincère mais il ne lui faisait pas confiance.

Financièrememnt, elle y perdait trop à leur laisser la terre.

— Vous savez, reprit-elle, je ne tiens pas à me disputer avec vous. Je suis si lasse de me battre, acheva-t-elle d'une voix brisée.

Comme son visage était pâle et tendu, se dit Adam, ému malgré lui. Mais il ne devait surtout pas se laisser attendrir par cette créature diabolique. Il n'avait aucune envie de subir le sort de Gordon.

— Je n'y tiens pas moi non plus, déclara-t-il. Mais j'étais très lié à Warren, nous appartenions à la même compagnie, au Viêt-nam. Les McCrory sont pour moi des amis de longue date.

— Oh, je ne m'attends pas à ce que nous devenions amis. En revanche, pourquoi cette animosité à mon égard alors que vous n'êtes pas directement en cause?

— Je me *sens* impliqué, figurez-vous. J'ai connu Gordon, je l'appréciais énormément, et je n'admets pas la façon dont vous l'avez traité... pas plus que la manière dont vous avez abusé votre oncle.

Un éclair de surprise traversa les yeux clairs de Madeline.

— Vous vous moquiez bien de ce qui pouvait lui arriver, n'est-ce pas? insista-t-il.

— Que voulez-vous dire? Je me suis toujours occupée de lui.

— Bien entendu... jusqu'à ce que vous soyez certaine d'hériter de la propriété. Ensuite, lorsqu'il a été trop affaibli pour modifier son testament, vous l'avez laissé mourir seul.

A part son regard, rien ne trahissait la colère de Madeline. Et ce calme imperturbable irritait Adam au plus haut point. Plus ses accusations devenaient déplaisantes, plus la jeune femme maîtrisait ses émotions.

— Mon oncle n'est pas mort seul, répondit-elle enfin. Ce soir-là, j'étais à son chevet, ainsi que tous les soirs précédents. Malheureusement, un grave différend nous a opposés, juste avant sa maladie. Voilà pourquoi, après la mort de Gordon, je n'ai pas voulu m'installer à Willow Shores… et aussi par égard pour mes beaux-parents. Quand j'ai revu mon oncle, il était à l'hôpital, encore conscient. Il m'a reconnue… Il savait que nous étions réconciliés, conclut-elle en essuyant furtivement une larme.

Quelle menteuse! se dit Adam, indigné. Bill était formel: Madeline n'avait jamais rendu visite au vieillard malade.

— Avez-vous suivi des cours d'art dramatique, ou bien est-ce un don naturel? persifla-t-il.

En proie à une indicible tristesse, Madeline fit une dernière tentative pour se défendre.

— De toute manière, Ed ne m'aurait jamais déshéritée. Par ce geste, il aurait trahi la volonté de mon père.

— Ce n'est pas ce que j'ai entendu dire. On m'a affirmé que votre père ne vous a pas laissé un sou. Et que, selon toutes probabilités, votre mère l'imitera pour vous punir de votre inqualifiable conduite.

Sans se départir de son sang-froid, Madeline le regarda bien en face et déclara:

44

— Vous ne l'avez sans doute pas remarqué, Monsieur Crawford, mais j'essaie d'être honnête avec vous. Manifestement, je perds mon temps. Rien ne vous convaincra. Dans ces conditions, inutile de poursuivre. Bornons-nous à admirer le paysage.

D'un geste machinal, elle se retourna pour caresser Brandy et le silence régna dans la camionnette, lourd d'une tension presque palpable. Ce fut Adam qui le rompit.

— J'avoue ma curiosité, madame Richardson. Pourquoi votre oncle devait-il obligatoirement vous léguer la propriété ?

— Pour une raison très simple. A la mort de leur père, Ed et papa reçurent chacun la moitié de Winslow. Maman ne s'y est jamais intéressée. Si bien que mon père, prévoyant sa fin prochaine, conclut un arrangement avec Ed. Celui-ci continuerait à jouir de la propriété jusqu'à son décès mais après, elle me reviendrait. Il se trouve que le testament a été mal rédigé et Ed a reçu ma part par erreur.

— Pourquoi n'avez-vous pas fait valoir vos droits ?

— Cela ne paraissait pas nécessaire. Nous aurions mis dans l'embarras M. McCrory qui était l'homme de loi de mon père, à l'époque. Comme Ed et Kate n'avaient aucun autre héritier, on pouvait espérer qu'ils me lègueraient tout, quoi qu'il arrive... et c'est ce qui s'est passé.

Sourcils froncés Adam reprit :

— Ainsi, Bill McCrory était au courant du problème concernant le testament de votre père?

— Oui, je suppose. C'était son père qui l'avait rédigé mais il travaillait avec lui, dans ce temps-là.

C'était à n'y rien comprendre! se dit Adam, de plus en plus perplexe. Pourquoi diable Bill tentait-il de lui faire croire que le père de Madeline l'avait sciemment déshéritée? Pourquoi prétendait-il que la ferme avait toujours appartenu à Ed, que celui-ci aurait très bien pu la léguer à une œuvre plutôt qu'à sa nièce?

— Pourtant il est possible qu'il l'ait ignoré?

Il insistait lourdement mais il *devait* savoir!

— Mmm… Peut-être, mais c'est peu probable. En tout cas, nous en avons discuté maintes fois avec Gordon. Son père nous·poussait à acheter une maison à Evanston, mais ce projet ne me plaisait pas. Je voulais rester libre de revenir m'installer définitivement à Willow Shores. Bill le savait puisqu'il nous a même promis de racheter la villa d'Evanston si nous ne nous y plaisions pas.

Stupéfait, Adam cherchait désespérément à se souvenir des paroles exactes de Bill. Il s'était imaginé que le père de Gordon avait payé lui-même la maison d'Evanston et que c'était Madeline qui la voulait à tout prix. Mentait-elle encore?

— Une question m'est venue à l'esprit, monsieur Crawford. En acceptant ce poste à la ferme, pensiez-vous que mon oncle souhaitait léguer·les terres à l'université?.

L'air coupable d'Adam le trahit.

— Ainsi, voilà la raison de votre hostilité! s'exclama Madeline. Je suis désolée, mais si vous en aviez parlé autour de vous, tout le monde ici connaît l'histoire de ma famille. On vous aurait expliqué que j'étais la seule héritière légitime de la propriété.

De plus en plus perplexe, Adam se perdit dans ses réflexions. Madeline ne pouvait que dire la vérité... car il était trop facile de vérifier. Contrairement aux assertions de Bill, il semblait que la jeune femme n'ait rien fait de répréhensible.

— Même après avoir appris que vous héritiez, nous espérions qu'il n'y aurait pas de problème, commença-t-il.

— Nous? s'étonna Madeline.

— Bill et moi. C'est lui qui a eu l'idée de me présenter à votre oncle.

— Pourquoi pensiez-vous qu'il n'y aurait pas de problème?

— Parce que Bill était convaincu que vous vendriez le domaine. Il avait l'intention de l'acheter et il aurait consenti un bail à long terme à l'université. En outre, il souhaitait accorder des bourses aux étudiants...

— On dirait que mon retour intempestif contrecarre les projets philanthropiques de M. McCrory, remarqua-t-elle, ironique.

— Tout juste, et cela vous réjouit, il me semble. Mais je sais pourquoi vous me permettez de continuer mon programme.

— Expliquez-moi, je vous en prie.

Une lueur de défi brillait dans les yeux de Madeline, ce qui la rendait encore plus fascinante.

— Tout le monde sait que vous voulez acquérir du terrain pour construire une route. Ce qui va faire monter les enchères, et grimper la valeur immobilière. L'explication est donc toute simple : tant que je reste, vous pouvez démentir les rumeurs... et les prix resteront stables.

— Machiavélique, non ?

— C'est ce que j'ai cru comprendre. Je n'apprécie pas qu'on se serve de moi, madame Richardson.

— Il y a quelque chose qui m'échappe, lança Madeline. Si Bill s'intéresse à votre programme au point d'être prêt à acquérir le domaine — y compris le bord du lac qui, à lui seul vaut une fortune — pourquoi ne cherche-t-il pas un emplacement moins onéreux pour vous y installer ?

— Parce qu'il n'y a rien à vendre.

— Allons donc ! Pas un seul fermier des environs ne souhaiterait céder une partie de ses champs ?

— Non. Une société de Chicago a obtenu un droit de préemption sur chaque parcelle de la région. Personne ne peut rien vendre ni acheter en dehors de ces gens-là.

— Mais que font-ils de toutes ces terres ?

— Pour la plupart, elles sont cultivées par leurs précédents propriétaires, devenus les métayers de leur ancienne ferme.

— A qui appartient cette société ? Quelles sont les intentions de ses dirigeants ?

— Je n'en ai pas la moindre idée.

— Je m'en doutais, murmura Madeline.

Pour la première fois, Adam sentit qu'elle se méfiait de lui.

— Aidez-moi, monsieur Crawford, enchaîna la jeune femme. Comment expliquez-vous que le fait de vous garder à Winslow empêcherait le terrain d'augmenter? Moi, je n'ai pas pris la précaution de passer par l'intermédiaire d'une firme de Chicago. Tout le pays a eu vent de mes projets.

Pris de court, Adam ne dit rien.

— Autre détail, poursuivit Madeline. Si j'ai bien compris, je m'apprêterais à payer une forte somme pour acquérir une étroite bande de terre le long de mon domaine — soi-disant en vue d'aménager un lotissement. Pourtant, je ne sais déjà que faire des hectares que je possède. De plus, la route qui traverse la propriété suffit largement à la desservir. Ne jugez-vous pas mon comportement un peu étrange?

Désarçonné, Adam réfléchit quelques secondes. Il devait l'admettre, certains arguments de Bill lui avaient toujours paru obscurs. Mais, naturellement, Madeline faisait exprès de brouiller les pistes.

— Si vous commenciez par me fournir une explication logique à votre retour? questionna-t-il.

— Navrée de vous décevoir, mais il n'y a rien de logique dans ma décision.

— J'y suis! Une irrésistible attirance pour le pays de votre enfance, ironisa-t-il. C'est bien cela?

— Inutile de poursuivre cette discussion, monsieur Crawford. De toute manière, vous refuserez de me croire.

— Essayez toujours!

A peine terminait-il sa phrase, que la camionnette franchissait le majestueux portail de Willow Shores. Sur une impulsion, Adam freina. Il lui fallait en avoir le cœur net. Si Madeline était sincère, Bill se trompait du tout au tout. Au fait, se trompait-il, ou *mentait-il*? Et s'il mentait, quels étaient ses motifs?

Subrepticement, il observa Madeline. Un sourire heureux flottait sur ses lèvres tandis qu'elle contemplait le cadre familier qui s'étendait autour d'eux. Enfin, elle le regarda et murmura:

— Pardon, vous avez dit quelque chose?

— Oui, j'ai dit: « essayez toujours ». Confiez-moi la vérité sur votre retour, je suis prêt à vous écouter.

— Et à me condamner à l'avance, je présume…

— Nous verrons bien.

Madeline se détourna et ne répondit pas tout de suite. A quelque distance, on distinguait la métairie. Le bâtiment portait les traces de l'incendie tout récent. De nouveau, un soupçon assaillait la jeune femme. Le professeur avait-il une responsabilité dans l'affaire? Non, impossible!

Comme Adam la fixait d'un air interrogateur, elle déclara:

— J'hésite, monsieur Crawford. J'ai appris à mes dépens que se confier pouvait être très dangereux.

50

Avec un haussement d'épaule, il redémarra. La camionnette roula lentement dans l'allée. Au détour d'une courbe, la ferme apparut, séparée des autres bâtiments par d'épaisses frondaisons. A sa vue, Madeline éprouva un poignant sentiment de nostalgie. C'était là qu'elle avait passé les moments les plus heureux de son enfance, là qu'elle avait...

— Estimez-vous également dangereux de me parler du domaine? questionna brusquement Adam. Je sais qu'il a une longue histoire.

Surprise, Madeline se tourna vers lui avant de rétorquer:

— Ah, c'est un de mes sujets favoris, au contraire! La famille Richardson a acheté les terres aux environs de 1800. Pour jouir de la superbe vue, la maison de maître fut construite sur une déclivité surplombant le lac, près de l'ancienne grange qui est le plus vieux bâtiment de tous. Cette grange n'a pas été utilisée en tant que telle depuis des années. Nous y avons donné des fêtes où se rassemblaient tous les habitants des environs. J'en garde d'excellents souvenirs. Quant à la maison, son architecture a été conçue pour s'intégrer au paysage, ce qui est un événement rare pour l'époque. Au fond, cet endroit constitue la preuve tangible de l'amour que les Richardson vouaient à la campagne du Wisconsin.

— Mais vos parents vivaient en ville, l'interrompit Adam.

— C'est vrai. Ma mère avait horreur de la campagne, c'est une citadine dans l'âme. Elle était née à New York, y avait passé sa jeunesse. Du reste, elle y est retournée tout de suite après la mort de mon père.

— Et vous?

— J'ai eu de la chance. Ma mère était tellement occupée par ses bonnes œuvres qu'elle m'envoyait à Winslow durant toutes les vacances scolaires. Ici, j'ai appris à nager, à monter à cheval, à jouer du violon et du banjo. J'ai donné mon premier concert à dix ans, dans la grange. Mon oncle et ma tante me gâtaient. Leur fils unique avait été emporté par une leucémie vers l'âge de douze ans, et ils me considéraient un peu comme leur fille. En fait, ils étaient plus que des parents pour moi, ils étaient des amis très chers.

Une deuxième fois, Adam arrêta la camionnette. Avec un sourire railleur, il se tourna vers Madeline et demanda :

— Ainsi, vous vous prenez véritablement pour une campagnarde?

— Willow Shores est mon coin de paradis. Je connais par cœur le moindre recoin de la propriété... J'adore récolter les framboises sauvages qui poussent dans la clairière, à mi-hauteur de la colline ; les pommes du pommier, près du sentier qui mène au lac... Je me suis même fracturé un bras en tombant de ses branches.

Adam sourit et effleura sa tempe.

Un mouvement de surprise échappa à Madeline alors qu'un délicieux frisson la parcourait.

— Cette cicatrice provient-elle d'une autre mésaventure? s'enquit-il d'une voix douce.

D'instinct, la jeune femme se raidit. Perplexe, Adam laissa retomber sa main. Ignorant sa question, Madeline poursuivit la litanie de ses souvenirs d'enfance :

— En guise de cheptel, j'avais les colibris et les biches, les écureuils qui logeaient dans le gros chêne. Une année, j'ai planté des laitues pour nourrir la mère lapine qui élevait ses petits parmi les genévriers. J'adorais les regarder lorsqu'ils s'ébattaient au soleil, ou lorsqu'ils se délectaient de pissenlits... jusqu'à ce qu'une marmotte surgisse d'un buisson ou bien que l'ombre d'un faucon les effraie. Alors, ils se précipitaient à l'abri de leur terrier et on ne voyait plus que leurs petits nez roses qui palpitaient à l'entrée du trou.

Elle marqua une pause, soupira puis reprit :

— Il fut un temps où je savais identifier chaque fleur sauvage de la propriété... et il y en avait beaucoup. Certaines espèces très rares semblent se plaire dans nos bois.

Les yeux perdus dans le vague, Madeline revivait les heures bénies passées en compagnie de ses amis les animaux, les arbres, le lac. Enfin, elle était revenue parmi les siens ! Ni Bill McCrory, ni Adam Crawford, ni personne ne lui gâcherait son retour !

— Pour moi, ce territoire fut un paradis, professeur, continua-t-elle. Je me déplaçais sur des tapis magiques en aiguilles de pin, je découvrais des cachettes ignorées, des repaires secrets où la nature se faisait complice de mes rêveries enfantines.

Trop absorbée par ses réminiscences, Madeline

ne s'était pas aperçue que la voiture était repartie. Soudain, ils débouchèrent devant la maison. La main sur la poignée de la portière, la jeune femme se retourna et découvrit le regard ironique d'Adam posé sur elle.

Quelle idiote de lui avoir fait ses confidences ! Comble de malheur, elle se sentait rougir.

— Pardonnez-moi, murmura-t-elle. Mes souvenirs d'enfance ne vous passionnent sans doute pas, mais c'est tout ce qu'il me reste.

Sans répondre, il l'observa un instant et annonça :

— Si cela ne vous ennuie pas, nous déchargerons vos bagages tout à l'heure. J'aimerais voir l'un de mes élèves avant la sortie. Ce garçon m'inquiète... il m'évite depuis quelque temps.

— Je vous en prie, professeur, le devoir avant tout.

Il commença à s'éloigner puis se retourna brusquement.

— Vous savez, madame Richardson, déclara-t-il, les écureuils sont toujours là. Les lapins aussi. Et nous hébergeons un nid de hiboux dans le grenier à foin.

Sur ce, il chaussa ses lunettes noires et disparut derrière la haie.

Quel personnage fascinant, songea Madeline en hochant la tête. Dommage qu'il soit d'humeur aussi changeante. *Méfie-toi, Madeline*, se dit-elle, *ne va pas te mettre à l'aimer ! Cet homme est dangereux.*

Tout à coup, un sentiment d'angoisse la submergea. D'un coup d'œil affolé, elle embrassa les alentours, l'allée déserte, la maison silencieuse.

— Les déménageurs! gémit-elle tout haut. Où diable sont les déménageurs?

4.

Madeline traversa l'immense cuisine et se dirigea vers le téléphone. Fébrilement, elle composa le numéro de Kara Winslow à Chicago. Si quelqu'un savait où se trouvaient ses meubles, ce ne pouvait être que Kara !

Une voix désespérée résonna à l'autre bout du fil :

— Oh, Madeline, c'est toi ? Pourquoi ne m'as-tu pas demandé un service tout simple ?

— Mais je...

— Ne discute pas ! Je suis incapable d'une pensée lucide après une journée pareille.

— Voyons, Kara, tu n'as jamais été capable d'une pensée lucide, riposta Madeline, ironique.

— As-tu une idée de la chaleur qui peut régner dans un garde-meubles quand il fait trente-cinq degrés dehors ? Eh bien, c'est encore pire à l'intérieur d'un camion de déménagement. En plus, je me suis retrouvée sur la trajectoire d'un matelas

que ces idiots avaient jeté du deuxième étage. A
cause de toi, j'ai frôlé la mort!

La voix de Kara se brisa et elle acheva:

— As-tu une idée de la stupidité de ces indivi-
dus?

— Kara, où sont mes meubles?

— Envisageais-tu d'emménager à Rockford,
dernièrement?

— Non, il n'en a jamais été question!... Ra-
conte-moi tout, ma chérie, pourquoi mes meubles
sont-ils à Rockford? J'ai l'impression qu'il y a eu
des problèmes.

— Cela me dépasse. Et pour l'instant, je ne veux
pas savoir!

— Si je te dis qu'ici il n'y a même pas un lit où
me reposer des fatigues d'un voyage épuisant, me
prendras-tu en pitié?

— Non.

— Ma voiture est tombée en panne.

— Ah?

— J'ai vu ton père.

— Parfait!

Madeline savait que cette dernière information
allait faire réagir son amie.

— Le directeur de la ferme est le meilleur ami de
Bill McCrory.

— Oh non, Madeline, ce n'est pas possible!
Peux-tu te débarrasser de lui? Que comptes-tu
faire?

— Commençons par le commencement, veux-
tu? D'abord, explique-moi où se trouvent *réellement* mes meubles.

— A Rockford, mais ce n'est pas ma faute. Tous les documents étaient en règle, la société de déménagement l'a reconnu quand on m'a avertie par téléphone. Le chauffeur était tout simplement persuadé qu'il s'agissait de Rockford. Une fois arrivé sur place, il a consulté le plan pour se rendre à la propriété... et il a pris la mesure de son erreur. Ils seront à Rockland demain dans la matinée.

— Formidable! En attendant, je dormirai sur un peignoir de bain étendu par terre. Aïe, j'oubliais, les peignoirs de bain sont dans le camion!

— Veux-tu que je vienne t'apporter un lit de camp?

— Non, je me débrouillerai. Il doit y en avoir un au grenier. En revanche, j'aimerais que tu m'amènes mon autre voiture. Le break a eu trop de défaillances, ces derniers temps.

— Je n'oserai jamais conduire ta Jaguar! s'exclama Kara. Tu te rends compte, si j'érafle la carrosserie?

— Bah, quelle importance! Ecoute, ma chérie, il me faut cette voiture. Sois gentille, amène-la moi.

— Ted va se lamenter. Il adore ta Jaguar.

— Tiens, à propos de ton fiancé, j'aurais besoin de lui pour une petite enquête. Dis-lui que je voudrais savoir à qui appartient l'ancienne ferme des McCrory. Si c'est à une société, qu'il cherche les commanditaires.

— Puis-je te demander pourquoi?

— Quelqu'un ici a l'air d'ignorer que Bill McCrory possède d'immenses terrains, de l'autre côté de la route. Je préfère m'assurer des faits avant de lui annoncer la nouvelle avec ménagement.

— Voilà bien notre Madeline, toujours aussi prévenante et gentille! Hélas pour toi, j'ai peur que Ted refuse de t'aider. Jamais il ne te pardonnera de lui avoir repris la Jaguar.

— Je compte sur toi pour le convaincre.

— Pourquoi moi?

— Parce que tu me dois bien ça! C'est moi qui vous ai présentés, l'aurais-tu oublié?

— Non, non...

— Très bien, alors tu dis à Ted que je l'adore et que je lui serai éternellement reconnaissante de me rendre ma voiture. D'ailleurs, je lui préparerai un bon repas pour le remercier.

— Bon, d'accord, concéda Kara. Alors, tu as toutes tes chances! Tu sais que la promesse d'un repas préparé par toi lui ferait accepter n'importe quoi.

Les deux amies éclatèrent de rire avant de raccrocher. Souriante, Madeline se retourna et faillit pousser un cri. La mine sombre, Adam se tenait debout sur le seuil, une guitare dans chaque main.

— Déjà! s'exclama-t-elle avec une feinte désinvolture. Avez-vous pu parler à votre élève?

— Non. Apparemment, je suis revenu trop tôt... Désolé.

D'un geste brusque, il déposa les instruments et repartit chercher le reste des bagages. Déconcertée par son attitude, Madeline haussa les épaules. Près du téléphone, une feuille pliée en deux attira soudain son attention. Tiens, l'écriture de l'ancienne gouvernante de son oncle! Lecture faite, la jeune femme esquissa un sourire et déclara à l'intention d'Adam qui venait de réapparaître:

— Cette Emma... toujours aussi efficace! Elle s'est chargée de m'approvisionner.

Curieuse, la jeune femme ouvrit la porte du réfrigérateur.

— Mmmm... Splendide! Aimeriez-vous partager mon festin, ce soir?

A peine avait-elle prononcé ces mots qu'elle les regretta. Qu'allait penser Adam? Confuse, elle inventa une excuse.

— C'est peut-être un peu cavalier de ma part, mais vous voyez, ma proposition est intéressée. Je n'ai pas de table. Alors j'échange mes dons de cuisinière contre le droit de m'asseoir à la vôtre.

— Non, merci. Aujourd'hui vous me demandez une simple chaise, mais je devine ce qui suivra.

— Vraiment? Je serais curieuse de le savoir.

— Ne faites pas l'innocente. J'ai surpris la fin de votre conversation au téléphone... ne vous imaginez pas que je vais vous consoler en attendant votre riche bienfaiteur. De plus, je n'ai pas pour habitude d'offrir des voitures de luxe aux femmes que je rencontre. C'est contraire à mes principes.

L'humour de la situation ne parvint pas à dérider Madeline. D'habitude, les mauvaises langues insinuaient plutôt que c'était *elle* qui entretenait les amants qu'on lui prêtait. Mais la fureur qui brillait dans les yeux d'Adam ne l'incitait pas à rire.

— Navrée de vous décevoir, finit-elle par répondre, mais la voiture m'appartient. Il s'agit d'une Jaguar Vanden Plas modèle 1984. Pour le moment, elle est à l'abri dans le garage d'un de mes amis. Maintenant que je suis ici, j'ai envie de la récupérer, voilà tout!

— Ainsi vous possédez une Jaguar! Vous vous êtes extraordinairement bien débrouillée depuis votre divorce.

— J'en avais déjà une quand j'étais mariée.

— Je vois, la belle vie a commencé de bonne heure pour vous. Dites-moi, régaliez-vous votre mari de petits repas fins, ou vos talents de cordon bleu datent-ils d'après sa disparition?

Madeline était abasourdie. Quoi qu'elle dise, quoi qu'elle fasse, il trouvait moyen de l'attaquer. Inutile de se défendre, elle ne ferait que redoubler sa colère.

— Je cuisinais pour Gordon tous les soirs, se borna-t-elle à préciser. Je faisais moi-même mon pain, et aussi je cultivais des herbes aromatiques pour les assaisonnements. Autre chose?

— Non, non. Vos talents domestiques me ravissent. Tant mieux pour Gordon! Au moins, il aura reçu quelque compensation pour tout ce qu'il vous a donné.

Les bras croisés, il la fixait d'un regard incroyablement dur. Même à cet instant, Madeline se sentait attirée physiquement par lui. Quel dommage qu'ils ne se soient pas rencontrés dans des circonstances plus propices! Tristement, elle se dirigea vers la fenêtre, contempla le paysage. Autrefois, la vue sur le lac ne manquait jamais de l'apaiser, mais aujourd'hui elle avait le cœur lourd et des larmes plein les yeux...

— Si vous espériez me blesser, bravo, vous y avez réussi, murmura-t-elle. Que va-t-il se passer, maintenant ? Suis-je censée vivre sur des charbons ardents dans l'attente de vos prochaines insultes ? Je regrette, mais je ne le supporterai plus.

Sa voix tremblait. Elle allait pleurer et se ridiculiser devant lui. Le front contre la vitre, Madeline demeura immobile, en proie à une insoutenable tension.

Au bout de quelques instants d'un silence tendu, elle perçut une présence derrière son dos, Adam posa les mains sur ses épaules. Pas un mot ne fut échangé mais elle se sentit bizarrement réconfortée. Mais il lui fallait échapper à cette étreinte.

— Je vous ai traitée assez rudement, déclara Adam. Je ne comprends pas, ce n'est pas dans mes habitudes.

— On dirait que j'ai le don de faire ressortir les pires instincts chez les hommes, fit-elle dans un soupir.

— Ah, si seulement c'était le cas avec moi ! Je n'aurais pas besoin de me forcer à vous détester.

Leurs yeux se rencontrèrent. L'espace d'une seconde, ils se contemplèrent intensément sans masquer le désir qui brûlait en eux. Vite, Madeline se détourna afin de rompre le charme. Comme elle se penchait pour ramasser une de ses guitares, il proposa :

— Permettez-moi de vous aider.

— Merci, je suis capable de m'en sortir toute seule.

— Je n'en doute pas. Ecoutez, voulez-vous m'accorder une faveur ? demanda-t-il soudain en lui saisissant le poignet.

Surprise par la douceur de son intonation, elle releva la tête.

— Oui, bien sûr, si je peux.

Il resserra son étreinte et Madeline se sentit curieusement troublée.

— Pourriez-vous me jurer que tout ce que vous m'avez raconté pendant le trajet était la stricte vérité ?

De toute évidence, Adam était en proie à un dilemme. Faire confiance à ses amis de toujours ou croire une femme qu'on lui avait décrite sous les traits d'une intrigante. Situation bien inconfortable...

— Je le jure, professeur. De toute façon, je ne vous mentirai jamais, même si je me réserve le droit de ne pas vous répondre, parfois.

— Que s'est-il passé au juste entre vous et Gordon McCrory ?

— A votre avis, que vais-je vous dire ?

— Que cela ne me regarde pas, fit-il avec un sourire contraint. Mais vous ne pouvez me blâmer de tenter ma chance.

Saisissant la poignée de sa valise, Madeline prit la direction de l'escalier. Parvenue dans sa chambre, elle aperçut un lit de camp dressé au milieu de la pièce. Encore une attention d'Emma! Depuis que Madeline était toute petite, la gouvernante l'avait toujours choyée. Malheureusement, après le départ de l'oncle Edward pour l'hôpital, elle s'était installée au village. Accepterait-elle de revenir habiter à Willow Shores? Madeline l'espérait!

La jeune femme troqua sa tenue de voyage contre un pantalon en tissu de jean beige et un chemisier jaune à col ouvert. Ensuite, son premier souci fut d'aller visiter le studio attenant à sa chambre. Jadis, cette pièce lui servait de salle de jeu mais, lorsqu'elle avait commencé à étudier sérieusement la musique, Ed l'avait transformée en studio à l'intention de sa nièce chérie. Un rapide coup d'œil lui apprit que rien n'avait bougé. Depuis son dernier passage, on n'avait pas touché à ses partitions ni à ses instruments. Nostalgique, elle s'empara de sa première guitare.

Pourquoi ne pas aller se recueillir dans son repaire secret, au-dessus du lac? Peut-être l'inspiration la visiterait en ce lieu magique de son enfance.

Oui, quelle bonne idée! La bretelle de sa guitare glissée sur l'épaule, Madeline parcourut d'abord la maison. Chaque pièce comportait une énorme cheminée; des poutres de chêne traversaient les plafonds et les parquets cirés étalaient leur immensité déserte. Tout le mobilier avait été vendu au profit d'œuvres charitables. Tant mieux, se dit Madeline une fois de plus. Des années durant, elle avait couru les antiquaires, collectionnant des meubles rustiques qui conviendraient particulièrement bien à l'atmosphère de la vieille demeure.

Enfin, elle franchit la porte-fenêtre donnant sur la terrasse. De là, on dominait le lac. Sa guitare se balançant au rythme de ses pas, elle marcha à travers la pelouse, derrière la maison. Tel un éclair roux, Brandy bondit à sa suite.

Des éclats de voix masculines et joyeuses lui parvinrent soudain. Intriguée, elle reconnut le timbre d'Adam, scruta le rivage. En effet, la silhouette du professeur se découpait dans la lumière dorée. Debout sur le plongeoir, il s'apprêtait à piquer une tête, encouragé par ses élèves groupés derrière lui. Même à cette distance, la perfection de son corps était visible. Longues jambes, épaules carrées... Un spectacle plutôt fascinant!

Délibérément, Madeline détourna les yeux et se hâta de gagner son havre de solitude, ce refuge où, la musique aidant, elle réussirait à oublier ses soucis.

Incapable de se concentrer sur son travail, Adam Crawford repoussa son stylo avec impatience. Décidément, cette adorable sorcière le hantait sans cesse! Il devenait impératif qu'il agisse. Pour cela, un seul remède: une longue promenade au volant de sa voiture.

Machinalement, il emprunta son chemin coutumier pour se rendre au garage, et traversa la cuisine de l'habitation principale. Ce fut dans cette pièce qu'il découvrit Madeline, perchée sur un coin du bar. Elle mangeait un sandwich tout en écoutant un morceau de *country music* que jouait la radio.

— Bonsoir, professeur, lança-t-elle avec un sourire éblouissant. Voulez-vous un sandwich?

— Euh... non, merci, fit-il, pris au dépourvu. Excusez mon étourderie. En votre absence, j'utilisais la porte de communication plutôt que de sortir par l'aile des invités, ce qui oblige à faire le tour des jardins.

— Evidemment, c'est plus court par ici. Vous pouvez continuer, cela ne me gêne pas.

Le visage d'Adam se rembrunit. Il s'éclaircit la gorge avant de déclarer:

— Je préfère éviter autant que possible de franchir cette porte. Mais il me faudra un peu de temps pour perdre mes habitudes, je suis assez distrait.

— Comme vous voudrez, professeur. Surtout ne vous inquiétez pas, vous serez toujours le bienvenu.

Et voilà, une fois de plus elle avait choisi de répondre par un sourire à ses remarques peu aimables... Au diable Bill McCrory! Il en avait assez de se montrer dur à vis-à-vis d'elle. Dans l'espoir de se faire pardonner, il chercha une réplique humoristique.

— Je parie que vous répondez la même chose à tous les hommes...

Catastrophe! Cette phrase à double sens ne pouvait que blesser Madeline davantage. En effet, ses yeux bleus s'assombrirent et elle le dévisagea avec une expression méfiante.

— Non, riposta-t-elle sèchement, seulement à mes hôtes distingués.

— Très honoré.

— Pourquoi n'essayez-vous pas d'être plus gentil ?

— Je ne suis malheureusement pas aussi doué que vous.

— Pour être gentil ?

— Je pensais surtout à votre habileté à vous jouer de moi. C'est très irritant, vous savez.

— Je le reconnais. Encore un aspect déplaisant de ma personnalité !

Lentement, il s'avança vers elle.

— Loin d'être déplaisant, ce trait vous confère un certain mystère. Vous m'intriguez beaucoup, madame Richardson.

En dépit de son désir, il s'abstint de l'embrasser. Madeline, il le sentait, était déjà prête à le repousser. Rougissante, elle baissa les yeux et avoua dans un murmure :

— Vous aussi, vous m'intriguez, monsieur Crawford.

Sur un dernier regard, il la laissa et disparut en direction du garage.

Adam se figea, la main sur la poignée de la portière. Devant la porte de l'atelier qui servait de garage à sa voiture, une ombre se profilait. Puis, brusquement, une torche électrique l'aveugla.

— Bon sang, professeur Crawford, que faites-vous ici ? Je vous croyais en voyage ! s'écria une voix juvénile.

Adam se détendit en reconnaissant le timbre particulier de Tim Galloway, l'un de ses élèves. Mécontent, il maugréa :

— Arrête de braquer cette lampe sur moi et éclaire la pièce, veux-tu ? Tu m'éblouis.

— Oui, oui, excusez-moi.

La lumière jaillit, mais il fallut un certain temps à Adam pour accommoder sa vision et identifier clairement l'adolescent grand et mince qui se tenait en face de lui. Comme d'habitude, Tim portait un tee-shirt, un jean usé et une casquette de base-ball d'où s'échappaient des mèches blondes.

— Bonsoir, Tim, reprit Adam. Que fais-tu dehors, à cette heure de la nuit ?

— Je suis de garde. Personne ne m'avait averti de votre retour, aussi j'ai eu peur en distinguant une silhouette qui entrait dans cet atelier.

— Oh, je n'étais pas censé revenir aujourd'hui. D'ailleurs je repars demain pour Madison. Ecoute, Tim, je suis ravi de te voir. C'est à cause de toi que j'ai décidé de repasser ici. Je voulais te parler… Ces derniers temps, tu m'as systématiquement évité, je l'ai bien remarqué.

— Moi qui m'étais persuadé du contraire, fit Tim, tête basse.

Adam s'avança et posa une main sur l'épaule de son élève.

— Tes résultats sont en baisse, Tim. Tu me déçois beaucoup. Je comptais sur toi pour me servir d'assistant, l'année prochaine. Malheureusement, si tu continues à ce rythme, tu échoueras à ton examen.

Muet et mal à l'aise, Tim se balança gauchement d'un pied sur l'autre.

— Peut-être as-tu un problème ? Veux-tu que nous en discutions ? insista Adam.

— En effet, il y a un problème ! jeta l'adolescent. Nous en aurons tous un quand *elle* viendra.

D'un mouvement rageur, Tim désigna la maison.

— Pourquoi dis-tu ça ? Mme Richardson est déjà là, figure-toi. Elle est arrivée aujourd'hui.

— Oh mon Dieu ! On ne l'attendait qu'après les moissons. Pourquoi est-elle ici ? gémit l'adolescent.

— Cette propriété lui appartient, Tim. Elle a le droit de venir quand bon lui semble.

— C'est vrai, mais à quoi bon travailler maintenant ? Notre programme tombe à l'eau... sans parler des bourses... Bon sang, elle va tout gâcher !

— Tais-toi ! coupa Adam, agacé. Tu ne la connais même pas. Si tu veux savoir, elle a l'intention de continuer le programme.

— Même si c'est le cas, M. McCrory n'acceptera jamais d'accorder des bourses à ceux qui travaillent sur les terres de cette femme. Il nous a assez répété que c'est une menteuse, une bonne à rien, une faiseuse d'histoires. Ah, dire que j'ai travaillé d'arrache-pied pendant deux ans, que j'ai accepté les tâches les plus ingrates, comme ces gardes de nuit, pour payer mes études ! Et tout ça pour rien !

— Ne l'accuse pas à tort, Tim. Tes résultats ne t'auraient pas permis d'obtenir une bourse. Ils ont été médiocres ces derniers mois.

— Allons donc ! marmonna Tim en haussant les épaules.

70

— D'abord, sois poli. Je t'ai offert mon aide, tant pis pour toi si tu la refuses. Et je te prierai de respecter Mme Richardson... Tu n'as aucune preuve de ce que tu avances contre elle.

— Mais M. McCrory...

— M. McCrory n'a rien à voir là-dedans. Il se trouve que tu es inscrit à des cours d'agriculture sur des terres appartenant à Mme Richardson. Ton avenir dépend de ta réussite, ne l'oublie pas. En conséquence, concentre-toi sur ton travail et ne te préoccupe pas de racontars.

Une fois Tim disparu, Adam monta dans sa voiture, l'air soucieux. Pourquoi avait-il permis à Bill McCrory d'exercer une telle influence sur ses élèves? Pourtant, en principe, il n'avait aucun rapport avec le programme. Que faire? Aborder franchement la question avec Bill? Non, impossible...

Découragé, Adam sortit en marche arrière, manœuvra dans l'allée et s'enfonça au cœur de la nuit.

5.

Lorsque son réveil sonna, le vendredi matin, Madeline ne dormait plus depuis un bon moment. En fait, c'est à peine si elle avait fermé l'œil de la nuit. Pourtant le manque de confort n'était pas le seul en cause.

Des heures durant, la jeune femme avait arpenté la grande maison déserte. A l'aube, elle avait vu Adam rentrer mais il n'était pas passé par la cuisine. Dommage... Elle se sentait si seule. Ce sentiment était familier pour Madeline. Ses parents ne s'étaient jamais vraiment intéressés à elle. Et cette solitude, loin de la combler, Gordon n'avait fait que l'accentuer par sa passion exclusive, sa jalousie.

Ces deux dernières années, Madeline s'était libérée de cette impression. Et voilà qu'elle ressurgissait avec autant de force qu'avant !

Rassemblant son courage, elle se força à prendre une douche bien froide. Peut-être ce remède chasserait sa mélancolie. En chantonnant, elle se sécha et vint se poster devant la glace. Madeline se livra alors à un examen sans complaisance. Silhouette déliée, jambes longues... Qu'en penserait Adam ? Les joues en feu, elle s'imagina blottie contre lui dans une fougueuse étreinte...

— Tu es folle à lier, ma pauvre Madeline, se dit-elle en enfilant un pantalon violet et une longue chemise à rayures vertes.

Quand elle arriva dans la cuisine, Brandy lui réserva un accueil chaleureux. En dépit des jappements surexcités de la chienne, Madeline perçut des coups assourdis et réguliers en provenance du sous-sol. Sans même savoir de quoi il s'agissait, elle pâlit, son cœur battit plus vite.

— Viens, Brandy ! ordonna-t-elle avant de sortir par derrière, la chienne sur ses talons.

La porte du sous-sol était entrouverte. Lentement, la jeune femme commença à descendre l'escalier. On avait cimenté le sol et lambrissé les murs, nota-t-elle au passage. Avant d'atteindre la dernière marche, Madeline avait deviné ce qu'elle allait découvrir.

Uniquement vêtu d'un short, Adam s'exerçait au punching ball installé dans un coin de la pièce. A la manière d'un boxeur chevronné, il martelait le sac de coups de poing avec une expression féroce qui terrifia Madeline. Cette expression, elle l'avait souvent vue à Gordon quand il s'entraînait dans leur propre sous-sol, à Evanston.

Combien de temps demeura-t-elle immobile,

adossée au mur, les bras croisés sur sa poitrine ?
Enfin, Adam la remarqua. L'air effrayé, il s'approcha d'elle, lui parla, mais elle ne l'entendait pas.
Ses oreilles bourdonnaient, ses jambes chancelaient.

Au prix d'un immense effort, Madeline s'enfuit,
parvint à regagner le jardin et s'effondra sur la
vieille balançoire rouillée. Stupéfait, Adam se hâta
d'enfiler un survêtement avant d'aller la rejoindre.

— Comment vous sentez-vous ? fit-il avec une
intonation inquiète et douce à la fois qui surprit
Madeline.

— Bien, merci, souffla-t-elle.

— Que s'est-il passé, là en-bas ? On aurait dit
que vous aviez contemplé le diable en personne.

Madeline hocha la tête. Oui, c'était exactement
cela !

Elle s'était ressaisie, à présent et d'une voix
encore mal assurée, elle répondit :

— Vous n'allez pas apprécier, monsieur Crawford, mais ma décision est irrévocable : votre gymnase doit disparaître.

— Comment ?

— Tout doit disparaître. Faites ce que vous voulez de vos appareils, je ne les tolèrerai pas chez
moi, compris ?

— Bon, bon, calmez-vous ! Vous m'avez fait
peur, vous savez.

Il s'agenouilla devant elle, lui prit tendrement les
mains. Madeline ne broncha pas. C'était fou ce que
ce simple contact pouvait déchaîner comme émotions en elle...

— Puisque vous y tenez tellement, je retirerai mon matériel du sous-sol. Mais au moins, expliquez-moi…

— Non, impossible… Je ne peux pas, balbutia-t-elle, éperdue.

Brutalement, elle retira ses mains. Mais contrairement à ce qu'elle craignait, Adam n'insista pas.

— J'ignore ce qui vous a bouleversée à ce point, déclara-t-il enfin en rompant le silence tendu. Sachez seulement que j'en suis désolé pour vous.

Là-dessus, il se pencha et effleura de ses lèvres le front de Madeline.

La jeune femme eut à peine conscience de son départ. Les yeux perdus dans le vague, elle revoyait défiler d'insupportables images dans sa mémoire. Pourquoi Adam se montrait-il aussi gentil, tout à coup ? Serait-ce une ruse de sa part ? Madeline n'eut pas le loisir de s'interroger plus avant. Dans un grondement de moteur, un immense camion de déménagement venait de se garer devant la ferme. Enfin, ses meubles arrivaient ! se dit-elle avant d'aller rejoindre le chauffeur.

La journée passa comme un éclair pour Madeline, affairée à donner ses instructions aux déménageurs. Dans le tourbillon de ses activités, elle oublia Adam jusqu'au moment où il fallut meubler l'aile des invités. Curieuse, elle découvrit le cadre spartiate dans lequel il vivait. Cela allait changer ! Après tout, il occupait une partie de sa maison et elle avait le droit de la décorer à son idée. Et puis, dès que la métairie serait réparée, il y retournerait.

A la fin de la journée, Madeline, épuisée s'écroula dans un fauteuil sitôt le camion parti. Quel désordre! Jamais elle n'arriverait à ouvrir seule cette multitude de cartons! Ah, si seulement Kara était là pour l'aider!

O miracle! Comme pour réaliser son souhait, une Jaguar métallisée s'arrêta devant l'entrée. Enfin, des secours! se dit Madeline ravie.

Ceux qui ne la connaissaient pas prenaient souvent Kara pour une ravissante créature plutôt superficielle. Apparence trompeuse car, elle était au contraire d'une intelligence brillante et d'une générosité spontanée.

Madeline alla sur le perron accueillir son amie. A son habitude, Kara était très en beauté avec ses longs cheveux blonds cascadant sur ses épaules et une élégante robe chemisier d'un rose vif.

— Eh bien, quelle tenue! s'exclama Madeline. Aurais-tu rendez-vous avec le président?

— Je ne pouvais tout de même pas porter un jean pour conduire cette voiture!

— Bah! Cela ne me gêne pas, moi.

— Parce que tu es une célébrité. Cela concorde avec ton image...

— Chut! A présent, je vis en recluse, ne l'oublie pas. Terminée, la célébrité!

Kara secoua énergiquement la tête et se récria:

— Ma pauvre Madeline, tout le monde te connaît dans la région. Mieux vaut te résigner à ce qu'on parle de toi.

— Ton père m'a dit la même chose il y a peu de temps...

— N'essaie pas de dévier la conversation. Tu m'as très bien comprise. A Chicago ou à New York, tu peux t'amuser à jouer les stars incognito, mais ici cela ne marchera pas. Tu ne pourras éternellement éviter la publicité.

— Je sais. Pourtant, j'aimerais jouir d'un peu de calme avant que cela arrive.

— Vraiment ? Pourquoi t'obstines-tu à vivre en recluse ? D'accord, tu adores composer. En revanche, comment peux-tu supporter de ne plus chanter ?

— S'il te plaît, Kara, arrête ! Tu me fais trop mal...

— Pardonne-moi mais j'aimerais tant que tu cesses de te cacher. Gordon ne reviendra plus. Tu n'es plus obligée de renoncer à ta carrière à cause de lui. Cela me désole de penser que je ne te verrai jamais sur scène.

— Moi aussi, cela me désole. Mais, qu'y puis-je ? Il est trop tard maintenant.

Kara soupira, puis enchaîna :

— As-tu appris que Mada Lynn envisage de participer au concert au bénéfice de l'hôpital des enfants ?

— Aïe ! Voilà qui n'est pas une bonne nouvelle...

Un sentiment de malaise étreignit Madeline : Mada Lynn avait fait partie du *Melody Richards Band* ; elle avait remplacé Madeline lorsque la jeune femme avait cessé d'interpréter elle-même ses chansons. Si Mada Lynn se produisait dans les

78

environs, on parlerait forcément de Madeline. Ce qu'elle voulait éviter à tout prix. Elle ne tenait pas à ce que Willow Shores soit assiégé par une foule de curieux !

— Entre donc, Kara, proposa-t-elle. Nous serons mieux à l'intérieur pour bavarder.

— Attends un peu ! Regarde... Spectacle fort intéressant, ma foi !

Surprise, Madeline suivit la direction du regard de son amie... et aperçut Adam près de l'ancienne grange. Son sweat-shirt vert pâle mettait en valeur son hâle et le rendait encore plus attirant.

— Il est très beau ! murmura Kara. Je comprends pourquoi tu tiens tant à rester ici. Ah, si je n'étais pas fiancée... Comment supportes-tu de te séparer de lui, ne serait-ce qu'un instant ?

— Par malheur, c'est bien tout le problème. Je ne *peux* pas me séparer de lui : il occupe l'aile des invités.

— Quelle chance... Oh mon Dieu ! S'agirait-il du très cher ami de Bill McCrory ?

— Lui-même, en chair et en os.

Notant la mine déconfite de Kara, Madeline faillit éclater de rire. Mais, elle se retint car Adam approchait.

— Madame Richardson ? Justement, je souhaitais vous parler.

D'une voix neutre, Madeline fit les présentations.

— Adam Crawford, Kara Winslow, ma meilleure amie.

— Winslow? répéta Adam, la main tendue. Etes-vous apparentée à Jerry?

— Plutôt, oui... c'est mon père.

— Par conséquent, Denny serait votre frère?

— Tiens, vous le connaissez?

— Non, mais j'ai entendu parler de lui.

Il jeta un coup d'œil à Madeline et ses traits se durcirent.

— Vous formez un groupe très uni, semble-t-il.

A ces mots, les yeux de Kara étincelèrent de fureur. Elle n'admettait pas que des rumeurs aussi calomnieuses puissent courir sur Denny et Madeline. Pourtant, au grand soulagement de cette dernière, son amie se borna à riposter avec un sourire :

— En effet, nous avons grandi ensemble tous les trois. Et Madeline a toujours été comme une sœur pour nous.

Adam fut visiblement surpris par cette réponse puis il reprit à l'intention de Madeline :

— J'ai démonté mes appareils du sous-sol. Puis-je emprunter la camionnette pour les transporter chez moi, à Madison?

— Bien sûr. Vous pouvez utiliser les véhicules de la ferme sans me demander la permission. A propos, j'ignorais que vous aviez une autre résidence.

— Je possède une maison à proximité du campus.

— Ah bon! Voilà pourquoi vous avez si peu de meubles ici. Je craignais que l'incendie ait endommagé une partie de vos affaires.

Si Adam remarqua son ton sarcastique, il n'en montra rien.

— A part les traces de suie, j'ai eu de la chance, se contenta-t-il d'observer. Par contre, je suis navré pour vous. Quelle désagréable surprise pour votre retour !

Instantanément, Madeline regretta ses soupçons. Il avait l'air si naturel. Impossible qu'il porte la moindre responsabilité dans l'incendie !

— Eh bien, voilà, je m'en vais, acheva-t-il.

— Au revoir, et merci d'avoir été aussi compréhensif, ce matin.

Comme il s'éloignait, Kara remarqua d'un air éploré :

— Comment haïr un tel séducteur ?

— Qui nous oblige à le haïr ?

— Tu n'as pas dit qu'il appartenait au camp McCrory ?

— Je préfère éviter ce sujet. Donne-moi plutôt des nouvelles de Spencer. Comment va-t-il ?

— Très bien.

Déçue par la brièveté de cette réponse, Madeline insista :

— Il ne veut toujours pas que je sache l'endroit où il se trouve ?

— Oui.

— Mais pourquoi ? Il était le seul de la famille McCrory à prendre mon parti. Je t'en prie, Kara, quand tu le verras, dis-lui de se réconcilier avec son père. Cela ne me froisserait pas du tout. Pourquoi risquer de perdre son héritage ? Pour l'amour du ciel, n'est-il pas l'unique survivant des trois fils ?

— Je m'évertue à lui conseiller de contacter Bill, mais il ne veut rien entendre.

— Ah, les hommes ! fit Madeline dans un soupir.

— Bon, maintenant laisse-moi entrer, enchaîna Kara. Mes chaussures à talon me font horriblement souffrir. Il faut absolument que je les enlève.

Adam demeura absent pendant quatre jours, quatre jours difficiles pour Madeline, physiquement aussi bien que moralement.

Avec Kara, elles s'étaient épuisées à déballer les caisses, puis à décorer la maison. Le dimanche, Ted Ruffin était venu rechercher Kara, sa fiancée. Il amenait avec lui, un énorme dossier constitué par son assistant. Tous les soupçons de Madeline s'y trouvaient confirmés : la ferme McCrory, ainsi que plusieurs autres grands domaines de la région, appartenait à la *Société Williams*... société fondée par Bill McCrory et ses amis.

— Apparemment, un dernier atout leur manque pour créer un vaste complexe de loisirs : le bord du lac, expliqua Ted. Ils étaient persuadés de pouvoir l'acheter à la mort de ton oncle. Ton obstination à habiter Willow Shores coûte une fortune à M. McCrory.

— Pourquoi n'achète-t-il pas une autre propriété au bord d'un lac ? demanda Madeline, interloquée.

— Il n'y en a pas une seule à vendre.

Après le départ de ses amis, la jeune femme passa une nuit agitée à se poser des questions qui demeuraient sans réponse. Manifestement, Bill espérait, en la harcelant, l'obliger à vendre son bien. Pour l'aider, il comptait sur l'hostilité d'Adam.

Mais Adam savait-il qu'il participait à ce plan, ou s'imaginait-il que Bill désirait sincèrement offrir les terres à l'université? En tout cas, s'il était au courant des véritables projets de McCrory, il feignait parfaitement l'innocence.

Le lundi, au grand soulagement de Madeline, Emma était apparue, toute prête à reprendre son rôle de gouvernante. Hélas, elle s'obstinait à refuser d'habiter dans la maison. Grâce à elle, cependant, Madeline put mettre la dernière main aux détails d'organisation. Le mardi après-midi, enfin, elle put s'accorder une pause bien méritée. Installée sur le canapé, les pieds posés sur un guéridon, elle se plongea dans la lecture du journal local. En première page, on annonçait le prochain concert au bénéfice de l'hôpital des enfants. Une photo de Mada Lynn accompagnait l'article. A la lecture du texte, l'expression de Madeline se rembrunit. On y promettait, en deuxième partie, un récital de l'Orchestre Melody Richards. Il était bien précisé qu'il s'agissait de l'ancien groupe, spécialement réuni à cette occasion. Et puisque l'ancien groupe se réunissait, on sous-entendait une apparition de l'insaisissable Melody Richards en personne.

Sûrement Mada Lynn n'aurait jamais utilisé ce moyen détourné pour la forcer à se produire de nouveau en public. Non, c'était une ruse de son agent! conclut-elle, furieuse. Délaissant le journal, elle l'appela immédiatement et fut très claire. Sa machination était vouée à l'échec. Qu'il n'espère pas lui faire changer d'avis.

Jamais elle n'accepterait de remonter sur scène ! Puis elle raccrocha sans écouter ses protestations.

Cette conversation l'avait rendue nerveuse, se dit-elle. Connaissant son agent, il allait tenter de la joindre pour la convaincre. Pour éviter cela, un moyen radical : débrancher toutes les prises de téléphone. Au moins, elle s'assurait d'une paix certaine. Madeline entrait dans la salle de musique quand un flot de souvenirs l'assaillit : elle, enfant, répétant avec son oncle des airs entraînants au banjo...

Pour faire plaisir à sa mère, Madeline avait étudié la musique classique, mais ses préférences allaient au folklore, à la *country music*. Dès le lycée, elle avait formé un groupe avec quelques camarades, dont Kara, Denny et Spencer, le frère de Gordon. Ils remportèrent très vite un immense succès dans la région. Au fil des années, les adolescents se dispersèrent. Seuls Denny et Madeline persévérèrent. Ils créèrent un nouveau groupe avec Mada Lynn et plusieurs vedettes locales. Madeline avait choisi le pseudonyme de Melody Richards pour éviter le mécontentement de sa mère qui n'approuvait pas l'orientation qu'elle avait prise. A ses yeux, sa fille couvrait de ridicule le nom très respecté des Richardson...

Au début, le groupe se contentait de jouer des airs de danse et de reprendre des chansons connues. Peu à peu, Madeline commença à compo-

84

ser sa propre musique. La pureté de sa voix, sa virtuosité à jouer de n'importe quel instrument lui valurent une popularité rapide. Son premier album signé Melody Richards fut un triomphe.

Peu de temps après, elle épousa Gordon McCrory. Et Gordon lui demanda aussitôt de renoncer à sa carrière. Jamais il ne tolèrerait que sa femme se produise sur scène ! Madeline plaida sa cause, mais toute discussion s'avéra inutile. De guerre lasse, pour éviter de pénibles scènes, elle s'abstint de se produire en public. Elle céda sa place à Mada Lynn mais continua à composer pour le groupe, ainsi que pour d'autres interprètes. Fuyant la publicité, elle signait ses œuvres de son pseudonyme, célèbre dans le monde entier. On murmurait que Melody Richards menait une existence de recluse... une originale, disait-on.

Bien sûr, les premiers temps, ses fans s'interrogeaient. Les rumeurs les plus folles avaient couru. Jusqu'à ce qu'un journaliste entreprenant découvre un dossier médical... Un accident de voiture aurait défiguré l'idole de la chanson. Apparemment, les gens se contentèrent de cette explication.

Cette affaire remontait à quatre ans. Depuis, Mada Lynn avait créé son propre groupe, qui n'enregistrait que des œuvres de Melody Richards. Et voilà qu'elle envisageait d'organiser ce concert au bénéfice des enfants malades... En fait, elle ne faisait là que renouer avec une tradition établie par Madeline, en mémoire de son jeune cousin mort d'une leucémie. La manifestation devait avoir lieu dans un mois. On la mettait devant le fait accompli !

D'après son agent, les billets s'étaient arrachés et les dons affluaient. Des stations de radio et de télévision s'intéressaient au projet. Madeline était bel et bien prise au piège... Son refus serait considéré comme une trahison! De toute manière, il était trop tard: les médias s'acharneraient à retrouver sa piste. D'ici peu, Willow Shores serait investi par des journalistes curieux... Que pouvait-elle bien trouver comme parade... Soudain une idée lui vint. Oui, il existait un moyen de préserver sa vie privée. Elle allait annoncer que Melody Richards ne participerait pas à la soirée mais qu'elle composerait une chanson spécialement pour cette occasion. Par la suite, l'hôpital recevrait directement les bénéfices de l'enregistrement. Un cadeau royal! Car un disque de Melody Richards leur rapporterait beaucoup plus d'argent qu'un simple concert.

Tout excitée, Madeline rebrancha son téléphone, rappela son agent, pour lui donner des instructions très précises. Sitôt qu'elle eut raccroché, elle se rendit dans la salle de musique. Vite! Il n'y avait pas un instant à perdre!

Alors que ses doigts effleuraient les cordes de la guitare, une étrange nostalgie l'envahit... le souvenir des feux de la rampe, des applaudissements, des cris enthousiastes de ses fans.

— Non! cria-t-elle.

Apeurée, Brandy gémit peu habituée à de telles manifestations. La jeune femme caressa son épaisse fourrure fauve en murmurant:

86

— On ne ressuscite pas le passé, tu sais, Brandy. Je suis incapable d'affronter de nouveau le public.

Et c'était vrai ! Quand elle avait décidé de se retirer, quelque chose en Madeline était mort. Son assurance, son plaisir même à jouer devant un public enthousiaste s'étaient envolés...

Dans ces conditions, impossible de réussir sur une scène. Les gens s'apercevraient immédiatement de son malaise. Elle serait huée... avec raison. Un spectacle sans émotion ne constituait-il pas une sorte de duperie ?

Melody Richards, celle qu'on avait surnommée la fée des neiges, la princesse de la chanson d'amour, celle qui faisait rire et pleurer les foules, celle qui se donnait à son public... n'avait plus rien à donner.

6.

Une valise dans chaque main, Adam hésita devant le perron. Après tout, Madeline lui avait permis de passer par la maison. Pour cette fois, il comptait en profiter.

La brise venant du lac agitait doucement les rideaux de la cuisine. Une appétissante odeur de pain cuit au four embaumait l'atmosphère.

Ce fut à cet instant qu'il remarqua le changement de décor. Des prodiges avaient été réalisés durant sa courte absence ! Au milieu de la pièce trônait une immense table en châtaignier, entourée d'au moins une dizaine de chaises de paille. En son centre, un superbe bouquet de fleurs. Dans un coin, un rond de fauteuils en rotin égayés de coussins multicolores. Et partout des pichets en étain, des casseroles en cuivre, des poteries artisanales.

Intrigué, Adam déposa ses bagages sur le sol dallé, puis s'aventura jusqu'au premier étage. Là aussi, tout avait changé. Les chambres étaient meublées avec le même goût très sûr : des commodes ventrues, des armoires rustiques en bois blond, des lits recouverts de plaids en mohair aux nuances chaleureuses.

De toute évidence, on avait longuement prémédité ce décor, qui s'harmonisait parfaitement avec le cadre. Singulier comportement de la part de quelqu'un qui aurait eu l'intention de vendre prochainement sa propriété...

Lorsqu'Adam pénétra dans l'aile qui lui était réservée, une nouvelle surprise l'attendait. Là encore, Madeline s'était surpassée, choisissant une symphonie de brun, de beige et de bleu marine. Sur les planchers, de précieux tapis indiens tissés à la main. Oserait-il y poser le pied ? Et puis tous ces bibelots, merveilles de l'art primitif !

L'envie lui vint de féliciter la maîtresse de maison mais à sa grande surprise, Madeline demeura invisible. Las de l'attendre, Adam décida de dîner au restaurant. Quand il revint, la maison était plongée dans l'obscurité à part une lumière qui brillait à l'étage. En tendant l'oreille, il perçut vaguement un air de guitare. Etrange distraction pour une jeune femme de son âge, se dit-il, étonné. Il n'aurait pas imaginé qu'elle s'intéresse à la musique. Mais après tout, il ne la connaissait guère. Sans plus y réfléchir, Adam rentra chez lui et s'absorba dans la préparation de ses cours. Un long moment après, il alla se servir un verre de porto. En passant devant la porte qui communiquait avec le logis principal, il l'entrebâilla, tout en s'interrogeant sur la raison de ce geste. Souhaitait-il rester ainsi en contact avec Madeline Richardson ?

« Allons, un peu d'honnêteté, Adam ! se dit-il. Ta mystérieuse propriétaire a décidément le don de te troubler ».

Eh oui, en dépit des histoires racontées par Bill McCrory, Adam n'arrivait pas à la détester. Pourtant... Son ami avait perdu ses trois fils : Warren tué au Viêt-nam, Gordon mort par la faute de Madeline et Spencer qui avait disparu sans laisser de trace. Depuis près de trois ans, Bill demeurait sans nouvelle de lui. D'après lui, c'était encore à cause de Madeline que son fils se comportait ainsi.

Comme Adam trempait ses lèvres dans le porto, un hurlement de terreur le fit sursauter. Pas de doute, le bruit provenait de la grande maison.

— Non, non, je t'en supplie ! criait la voix de Madeline.

Très inquiet, il se précipita, grimpa les escaliers quatre à quatre, poussa la porte de la chambre. Eclairée par un rayon de lune, la jeune femme se tenait assise au bord du lit, la tête enfouie dans ses mains. Adam s'apprêtait à avancer dans la pièce puis s'arrêta. Madeline était quasiment nue. A la hâte, il battit en retraite, referma sans bruit le battant et frappa un coup discret.

— Madame Richardson, comment vous sentez-vous ?

Un silence, puis il l'entendit répondre :

— Bien, merci.

— Puis-je entrer ?

— Inutile, je vous remercie. Ce n'était qu'un banal cauchemar.

— Je vous en prie !

Au bout d'un moment, la porte s'entrouvrit. Madeline avait enfilé un peignoir et le regardait, les yeux brillants de larme. Sa somptueuse chevelure aux reflets dorés retombait en désordre sur ses épaules.

Adam retint son souffle. Comme elle était belle ainsi ! Si faible, si vulnérable... D'un geste inconscient, il effleura sa gorge, et regretta aussitôt son impulsion. Effrayée, elle esquissa un mouvement de recul, ses joues s'empourprèrent.

— Désolée de vous avoir dérangé, balbutia-t-elle. Je fais parfois des cauchemars.

— Vous ne m'avez pas du tout dérangé. Je dégustais un porto tout en relisant mes cours. Voulez-vous me tenir compagnie ?

— Non, ce n'est pas la peine.

— Peut-être pour vous, mais après le choc que je viens de subir, j'aurais peur de boire tout seul, plaisanta-t-il.

Lui enlaçant la taille, Adam l'entraîna vers le palier et elle se laissa faire sans offrir de résistance. Une fois chez lui, il désigna le canapé et suggéra.

— Asseyez-vous, ordonna-t-il.

Pendant qu'il cherchait un deuxième verre, il ajouta :

— Mes compliments pour la décoration de cette maison. Vous avez accompli un tour de force en un temps record.

— Merci, mais en réalité c'était facile. Tout l'aménagement avait été prévu avec soin, dans les moindres détails. Cela fait des années que j'y travaille.

Adam se laissa tomber dans le fauteuil en face d'elle, puis remarqua :

— Pourquoi minimisez-vous tout ce que vous faites ? D'abord, ce cauchemar était-il aussi banal que vous le prétendez ?

— Cela ne vous regarde pas.

Adam se força à sourire dans l'espoir de détendre l'atmosphère.

— Et si j'avais été endormi ? Imaginez ma frayeur d'être réveillé en sursaut par des cris déchirant la nuit ! J'aurais pu succomber à une crise cardiaque !

— Si vous aviez été endormi, vous ne m'auriez pas entendue. D'ailleurs, je ne comprends pas... Nos murs sont tellement épais.

Le regard perplexe de Madeline se posa sur la lourde porte en chêne qui séparait les deux ailes du bâtiment. Détournant les yeux, Adam se leva et s'approcha de la cheminée. Si la porte avait été fermée, il ne l'aurait pas entendue, en effet ! se dit-il, coupable.

— Vous parliez distinctement. Vous avez même dit : « Non, non, je t'en supplie ! ». Racontez-moi ce qui vous a bouleversée à ce point, Madeline.

— Pourquoi tenez-vous à le savoir ? D'abord, vous vous montrez désagréable puis vous m'appelez par mon prénom. Et maintenant, je devrais vous confier mes secrets ?

Elle avait raison, bien entendu. De quel droit exigerait-il ses confidences? Mais il désirait la consoler... et surtout il brûlait de la toucher, de la caresser.

Les sourcils froncés, Adam vint s'asseoir à côté d'elle.

— Cela vous ennuie que je vous appelle par votre prénom?

— Non, pas du tout... au contraire, répondit-elle avec un sourire.

Encouragé, il se rapprocha.

— Cela vous ennuie que...

Comme il s'interrompait, elle le regarda, intriguée, et s'esclaffa:

— Eh bien, continuez! Je donne ma langue au chat.

— Que je vous embrasse? acheva-t-il enfin.

La stupeur se peignit sur le visage de Madeline mais elle ne le repoussa pas. Il compta mentalement jusqu'à dix pour lui laisser le temps de se ressaisir. Elle ne bougea pas. Alors, très lentement, il lui saisit le menton, ferma les yeux et attira ses lèvres contre les siennes. Sans provoquer de réaction de la part de la jeune femme.

Attention, il ne fallait pas la brusquer! se dit-il. Mais comme sa bouche était douce, son parfum enivrant et subtil! A contrecœur, il s'écarta... et le regretta immédiatement. Pâle et tremblante, Madeline le dévisageait sans mot dire, puis se leva. Aussitôt il l'imita.

Alors, oubliant toute prudence, Adam la prit

dans ses bras, la serra de toutes ses forces. Madeline tenta de le repousser mais il ne relâcha pas son étreinte. Non, il ne supporterait plus qu'elle s'éloigne ! D'ailleurs, la première fois, ne s'était-elle pas laissée embrasser ?

De nouveau, il s'empara de ses lèvres, goûta leur incomparable saveur. Insensiblement, elle se détendit... et, à sa grande surprise, lui rendit son baiser, noua même ses mains autour de son cou.

Abandonnant toute réticence, Madeline posa la tête sur son torse, et Adam l'enlaça avec ardeur. La ceinture du peignoir se défit, l'éponge glissa et il admira l'espace de quelques secondes ses cuisses fuselées et dorées par le soleil. Un désir fou, insensé, monta en lui. D'après ses souvenirs, elle ne portait rien sous ce vêtement. Un simple geste pour dénouer la ceinture, et il la contemplerait dans la splendeur de sa nudité !

La tentation était grande... Non, pas question de profiter de sa faiblesse passagère. Ce n'était pas ainsi qu'il imaginait leurs rapports...

Du reste, Madeline lui épargna une douloureuse décision. Ses bras retombèrent, elle recula, le souffle précipité, une lueur égarée dans le regard. Jamais elle n'avait été aussi bouleversante ! Fasciné, il se pencha, ses lèvres frôlèrent délicatement la tempe de la jeune femme.

— Bonne nuit, Madeline, chuchota-t-il. Faites de beaux rêves.

Sans un mot, elle lui tourna le dos, franchit la porte et la referma.

Une fois chez elle, la jeune femme erra, les bras croisés, dans la grande salle de séjour. En elle régnait la confusion la plus totale. Madeline ne se reconnaissait pas dans la femme qui s'était abandonnée avec sensualité dans les bras d'un quasi inconnu. Comment avait-elle pu perdre à ce point son sang-froid?

Tremblante, Madeline s'approcha de la fenêtre. Le clair de lune nappait la surface du lac d'une lumière argentée.

Que lui arrivait-il? Pourquoi ses sens endormis s'étaient-ils brusquement réveillés avec une telle intensité? Tout à coup, elle se voyait vulnérable, à la merci d'Adam. Il était urgent qu'elle lutte contre cette dangereuse attirance!

7.

Madeline passa le reste de la nuit à s'accabler de reproches. Au petit matin, lasse de s'agiter dans son lit, elle se leva et s'habilla d'un vieux short en jean. Ce n'était vraiment pas le moment de flâner ! Il fallait absolument que la chanson au profit de l'hôpital soit terminée pour le lendemain, sinon on n'aurait jamais le temps de la répéter avant le concert. D'un pas décidé, elle prit la direction du studio.

Jusqu'au milieu de l'après-midi, elle s'absorba dans sa musique.

— Ouf, s'exclama-t-elle enfin. J'ai bien mérité une petite pause !

Dehors, un soleil resplendissant l'accueillit. Brandy surgit de derrière un massif et fila en direction du lac. Tout en s'étirant, Madeline la suivit. Pour se détendre, la plate-forme du hangar à bateaux offrait un emplacement idéal...

Avec délice, elle s'allongea sur le plancher poli

par les intempéries. Il ne lui manquait plus qu'à écrire les paroles qui devaient accompagner la mélodie. Mais aucune idée ne lui venait. C'était si bon de fermer les yeux et de se laisser bercer par le clapotis de l'eau, de flotter dans un univers paisible, à mi-chemin entre le rêve et la réalité.

— Mmmm... Jolie vue! s'exclama soudain une voix masculine.

Consternée, Madeline leva la tête. Vêtu d'un jean délavé et de chaussures de toile, Adam la contemplait, un sourire aux lèvres. Comme elle esquissait un mouvement pour se redresser, il protesta:

— Non, ne bougez pas! Ce serait dommage...

Remarquant la direction de son regard, elle devint cramoisie. Le bouton du haut de sa chemise s'était défait, dévoilant sa poitrine de façon impudique. Précipitamment, elle le boutonna.

Nullement démonté, Adam montra deux bouteilles de jus de fruit.

— Vous voyez, je n'arrive pas les mains vides, annonça-t-il sur un ton triomphal.

— Vraiment? Et puis-je savoir d'où proviennent ces bouteilles?

— De votre réfrigérateur, bien sûr, mais c'est l'intention qui compte.

Il lui tendit la main pour l'aider à se relever et la conduisit jusqu'au débarcadère. Madeline s'installa tout au bord et trempa les pieds dans l'eau tandis qu'il retirait ses chaussures. Finalement, il s'assit en tailleur à côté d'elle.

En silence, ils burent quelques gorgées de jus de fruit. Au bout d'un moment, Adam s'éclaircit la voix avant de déclarer :

— Euh... Je voulais m'excuser d'avoir tenté d'extorquer vos confidences, hier soir.

— Ce n'est pas grave. Je sais que c'était par politesse que vous vous inquiétiez. D'ailleurs, je regrette ma réaction un peu brutale.

— Vous vous trompez, Madeline, je n'ai pas agi par politesse. Je me faisais sincèrement du souci à votre sujet. Enfin n'en parlons plus, je voulais seulement vous exposer mon point de vue...

— En revanche, je dois vous avouer une chose... Ce baiser... je ne sais pas ce qui m'a pris ! Sans doute étais-je plus perturbée que je l'affirmais. Je vous jure que ce n'est pas dans mes habitudes.

Un sourire échappa à Adam.

— Surtout ne soyez pas gênée ! Est-ce votre faute si je suis irrésistible ?

— Oh, Adam ! Vous êtes impossible !

— Et vous, vous êtes une sorcière.

Du bout du doigt, il lui caressa la joue.

— Une sorcière avec un corps très doux, très désirable, acheva-t-il dans un chuchotement.

Troublée par son ton caressant, Madeline se mit à contempler les petits poissons qui faisaient cercle autour de ses pieds. L'un d'eux se hasarda jusqu'à la toucher, puis s'enfuit, manifestement éberlué.

Renversant la tête en arrière, elle éclata d'un rire cristallin.

— Vous devriez rire plus souvent, remarqua Adam. J'adore ce son musical !

Il paraissait tellement sérieux qu'elle pouffa de nouveau. Mais bientôt, hypnotisée par son regard brûlant, elle éprouva un étrange malaise. Une sorte de vertige la saisit. De plus en plus embarrassée, elle s'agenouilla, trempa un doigt dans l'eau et raconta :

— Quand j'étais enfant, mon oncle prétendait que les poissons sont des créatures qui n'approchent pas n'importe qui. A mon avis, ils sont trop curieux, tout simplement.

Adam la rejoignit et, lui aussi, trempa un doigt dans l'eau.

— Faisons un test, suggéra-t-il. Voyons si je les attire...

A peine avait-il achevé sa phrase qu'un minuscule poisson s'approchait. Il hésita, décrivit un rond puis toucha furtivement le doigt d'Adam.

— Gagné ! C'est normal... Une fois de plus mon charme a fait une victime... commenta-t-il avec suffisance.

Madeline ne put s'empêcher de s'esclaffer. Et il fit semblant d'être vexé.

— Je croyais que vous adoriez m'entendre rire !

— Rire, oui. Mais vous moquer de moi, non ! Vilaine sorcière !

Leurs regards se croisèrent, chargés d'un message troublant. Le cœur de Madeline battit plus vite dans sa poitrine.

— Puis-je vous poser une question indiscrète ? s'enquit Adam à brûle-pourpoint.

Une indicible angoisse étreignit la jeune femme.

Oh, non, pas maintenant! se dit-elle tout bas. Néanmoins elle se força à sourire.

— J'écoute.

Adam esquissa une grimace comique et enchaîna :

— Eh bien voilà, puisque nous en sommes au deuxième acte, puis-je espérer un bis ?

Tout d'abord, Madeline ne comprit pas. Puis, elle découvrit que sa chemise s'était encore déboutonnée. Plus vive que l'éclair, elle se redressa.

— Monsieur Crawford, il existe une seule réponse à ce genre de question ! s'exclama-t-elle.

Sans lui laisser le temps de réagir, elle le poussa brusquement à l'eau.

— Sachez que je ne fais jamais de bis ! lança-t-elle en esquivant la gerbe de gouttelettes

Le cri indigné d'Adam réveilla Brandy qui, ravie de l'occasion, sauta le rejoindre. Quel charivari ! La chienne surexcitée s'ébrouait et aspergeait copieusement le malheureux Adam... qui finit par s'amuser autant qu'elle.

A distance respectueuse Madeline observait la scène. Elle ne se sentit tout de même pas très rassurée quand Adam se décida à regagner la terre ferme.

Les sourcils froncés, il constemplait sa montre.

— Regardez ce que vous avez fait, sorcière !

— Oh, je suis désolée... C'est stupide de ma part. Je vous...

Rapide comme l'éclair, il la souleva dans ses bras et repartit vers le bord.

— En fait, il s'agit d'une montre de plongée, totalement étanche. Nous allons juste vérifier si la vôtre résiste...

L'espace de quelques secondes, Madeline ne comprit pas ce qu'il préméditait. Blottie contre son large torse, elle s'imprégnait de sa chaleur virile. Enfin, quand il s'arrêta au-dessus de l'eau, la jeune femme devina le sort qu'il lui réservait et s'agrippa désespérément à lui.

— Vous n'y arriverez pas! Je vais rester accrochée à votre cou.

— Ma chère, vous oubliez un détail capital: je suis déjà mouillé. Préparez-vous!

Sur ce, il sauta, l'entraînant dans son plongeon. Madeline sentit la puissance de sa musculature alors qu'il nageait pour s'écarter du rivage. D'un commun accord, ils se séparèrent. Luttant contre le désir de se pelotonner de nouveau contre lui, elle décida de se venger.

— Rattrapez-moi! si vous pouvez!

En quelques brasses vigoureuses, elle le laissa sur place. Mais son avantage ne dura guère. Malgré les longueurs d'avance de la jeune femme, il regagnait du terrain. Alors, Madeline plongea, et se mit à nager sous l'eau en changeant de cap. Facile pour une nageuse émérite comme elle!

Quand elle émergea, l'expression ahurie d'Adam la récompensa de son effort. Dans le but de l'éblouir, elle joua à cache-cache avec lui, disparaissant pour reparaître là où il s'y attendait le moins.

A la fin, épuisée, elle se laissa paresseusement flotter. Plus trace du professeur! Sans doute avait-il regagné la rive...

— Mais, qu'est-ce que...? eut-elle à peine le temps d'articuler.

Un étau lui encerclait la cheville et l'attirait vers le fond. Stupéfaite, elle s'abandonna sans réagir.

— Maintenant que je vous tiens, je ne vous lâcherai plus, déclara Adam lorsqu'elle refit surface.

Trop essoufflée pour protester, elle nagea en direction du débarcadère, Adam toujours cramponné à sa jambe. Heureusement qu'elle portait un short! Dès qu'ils eurent pied, il la força à se mettre debout, la pressa contre lui. Le cœur battant la chamade, Madeline frissonna malgré la température estivale.

— Où avez-vous appris à nager aussi bien? s'enquit-il. Est-ce un talent inné?

Elle secoua ses mèches ruisselantes.

— Non, hélas. Plutôt le fruit d'un long entraînement. Si je parais douée pour quelque chose, vous pouvez être certain que cela m'a demandé un dur apprentissage.

Il la fit pivoter sans la lâcher.

— Selon vous, un baiser exige-t-il un long apprentissage? murmura-t-il.

Un baiser... Madeline en mourait d'envie. Quelle folie! Mais, après tout, au diable la sagesse...

Penchée en arrière, elle lui offrit ses lèvres.

Adam s'en empara, voluptueusement, ardemment. Avec habileté, il déboutonna la chemise trempée, effleura les seins nus de Madeline. D'un geste possessif, il l'attira encore plus près de lui.

De longues minutes s'écoulèrent ainsi sans qu'ils songent à bouger.

Enfin, Adam s'écarta à contrecœur. D'un regard, il admira les formes voluptueuses de la jeune femme. Et le grain de sa peau, si fin, presque velouté comme le pétale d'une rose...

Madeline rougit, gênée mais exaltée à la fois. Elle avait peur mais n'aurait voulu pour rien au monde que cesse cet instant magique. Lorsqu'il commença à la caresser, un flot d'émotions la submergea et elle eut l'impression que ses jambes ne la portaient plus. Faiblement, Madeline le repoussa.

— Vous avez raison, belle sirène, l'approuva-t-il. Cet endroit est beaucoup trop exposé aux regards pour ce que nous nous apprêtons à faire.

Il la prit dans ses bras, sortit du lac, grimpa le sentier. A mi-hauteur, il s'arrêta pour déposer un baiser sur ses cils.

— Madeline, tu sais que je te désire?

— Oui.

— Je t'en supplie, dis-moi que tu me désires aussi.

L'espace d'un instant, elle hésita. Sa sensualité n'était qu'endormie, Adam venait de le lui prouver. Pourquoi ne pas succomber?

Un battement de paupières, un frémissement, un chuchotement...

— Oui, Adam, je te désire.

Et elle ferma les yeux.

Serrant contre lui son précieux fardeau, il se remit en route.

Soudain, le soleil ne réchauffa plus Madeline, l'air devint plus frais, l'odeur du foin lui chatouilla les narines... tout son corps se raidit. Rouvrant les yeux, la jeune femme reconnut les poutres vermoulues de l'ancienne grange. Non, pas là! voulut-elle crier. Non! Une insoutenable angloisse l'envahit. Inconscient de son désarroi, Adam la déposa précautionneusement sur le tas de foin, se pencha pour l'embrasser.

Non, non, ce n'était pas possible... Elle ne le supporterait pas!

— Non, pas ici, parvint-elle à murmurer d'une voix étranglée.

De toutes ses forces, Madeline essayait de le repousser.

— Mais pourquoi? s'étonna-t-il. Nous sommes seuls.

Péniblement, elle se redressa, referma sa chemise.

— Je ne peux pas... Inutile d'insister.

Hors de lui, il la secoua par les épaules.

— Enfin, Madeline, qu'est-ce qui vous prend? Etes-vous devenue folle?

— Ne me touchez pas! Je vous en prie, laissez-moi...

Eperdue, elle se libéra et s'enfuit en courant. Furieux, il la rattrapa, pour l'obliger à lui faire face.

Elle le dévisagea, incapable de réprimer ses sanglots.

— Ecoutez, Madeline, jeta-t-il, glacial. Si cela vous amuse de charmer les hommes pour les repousser ensuite, c'est votre affaire. Mais je ne suis pas une brute, figurez-vous. Je vous avais demandé votre consentement et vous paraissiez tout à fait heureuse, lovée dans mes bras...

— C'est... c'est à cause du foin, avoua-t-elle dans un souffle.

Le regard qu'il lui jeta trahissait une telle fureur qu'elle frissonna.

— Ah, excusez-moi. Madeline Richardson est habituée à être traitée avec plus d'égards. Pardonnez mon incroyable audace !

Sur ces mots, il tourna les talons et disparut en direction de la maison. Atterrée, Madeline le suivit des yeux. Il n'avait pas compris ! Adam avait mal interprêté ses mots.

— Adam, attendez...

Mais son cri de détresse ne reçut pas de réponse.

8.

De peur de rencontrer Adam, Madeline préféra ne pas rentrer dans la maison. Adossée contre le mur de la grange, elle mâchonna distraitement un brin d'herbe.

Comment en étaient-ils arrivés là? s'interrogeait-elle. Pourquoi Adam, si tendre, s'était-il soudain transformé en ce personnage odieux? Apparemment, il était persuadé qu'elle se moquait de lui. Au lieu de l'insulter, pourquoi ne lui avait-il pas permis de s'expliquer?

Oui, pourquoi? Lui aurait-elle révélé la vérité? Sans doute... mais quelle terrible erreur!

Les yeux mi-clos, elle se souvint... Jeune vedette de la chanson, brillante carrière, mariage d'amour. L'avenir lui souriait.

Et puis, la jalousie de Gordon. Gordon qui ne supportait pas ses absences. Chaque concert, chaque séance d'enregistrement, chaque interview provoquaient des scènes de plus en plus pénibles.

Au début, Madeline se réjouissait plutôt du caractère possessif de son époux. Cela ne prouvait-il pas qu'il l'aimait profondément?

Hélas, ses colères se firent plus fréquentes, plus déplaisantes. Il l'accusait de trahison, ajoutait foi aux ragots des journaux à scandale. A plusieurs reprises, Gordon se laissa même aller à la frapper.

Au début, Madeline lui trouvait toujours des excuses: son travail, ses soucis... Il s'était mis à boire. Ce n'était pas vraiment sa faute, se disait-elle. L'existence n'est pas toujours facile pour le mari d'une vedette de la chanson.

Survint la maladie de tante Kate, un cancer. Deux jours par semaine, Madeline lui rendait visite à Willow Shores. Ce fut à cette époque que son entourage lui rapporta les rumeurs qui couraient au sujet des maîtresses de Gordon. Mais la jeune femme refusait d'y croire.

Dix-huit mois s'écoulèrent. Dix-huit mois très pénibles. Le couple traversait des hauts et des bas. Sachant que cela provoquerait la rage de Gordon, Madeline avait retardé le plus longtemps possible une tournée importante dont dépendait la suite de sa carrière. Comme prévu, son mari fut odieux lorsqu'elle lui apprit sa décision. Tellement même que Madeline en pleura pendant deux jours.

Sur ces entrefaites, l'état de sa tante empira et Ed l'appela au secours. Madeline, avec l'accord de Gordon, alla soigner la vieille dame. Durant ses rares moments de liberté, la jeune femme travaillait avec ses musiciens dans la grange de Denny Winslow, là où ils répétaient, autrefois.

Un soir d'octobre, après le départ des autres, Madeline était restée dans le grenier à foin pour revoir certains passages. Soudain, un bruit l'alerta. Ivre et fou furieux, Gordon grimpait les barreaux de l'échelle. Il commença par l'accabler d'injures, à crier qu'elle le trompait avec Denny. A cet instant, Gordon était effrayant, on aurait dit qu'il avait perdu la raison. Madeline aurait dû se montrer prudente.

Pourquoi avait-elle commis l'erreur de se défendre ?

— Tu ne manques pas de toupet ! s'était-elle insurgée. On me tient au courant de tes nombreuses aventures, figure-toi.

— N'ai-je pas le droit de me consoler quand ma femme se consacre plus à son métier qu'à son mari ?

Egaré par la colère, il se jeta sur Madeline, la frappa avec une violence inouïe. Elle eut beau pleurer, supplier, il s'acharnait de plus belle. A un moment, il l'envoya rouler par terre et elle se blessa à la tempe avec une fourche qui gisait, abandonnée.

Ironie du sort, ce fut ce qui la sauva ! Affolé à la vue du sang, Gordon s'immobilisa.

Mais le cauchemar n'était pas terminé. A présent, il exigeait qu'ils fassent la paix... à sa manière. Sans tenir compte de ses protestations, il l'obligea à s'allonger dans le foin et à faire l'amour avec lui.

Après toutes ces années, Madeline sentait encore les brindilles lui piquer la peau, entrer dans son nez, dans ses yeux, dans sa gorge, étouffant ses cris.

Quand, enfin, il s'écarta, Madeline rassembla le peu de forces qui lui restaient et s'enfuit au volant de sa voiture. La tête lui tournait, elle conduisait à travers un brouillard confus... et la voiture, traçant une ligne droite, bascula dans un fossé.

Elle reprit connaissance à l'hôpital... Gordon à son chevet, l'image du mari idéal, inquiet et plein de prévenances.

Evidemment, le corps médical s'était étonné des meurtrissures de la jeune femme, de la présence de brindilles dans ses cheveux, de ses vêtements en désordre. Du reste, personne ne comprenait comment sa blessure avait pu être provoquée par l'accident.

On ne pouvait rien reprocher aux médecins, songea Madeline. Elle-même avait gardé le silence, par honte. Quelle humiliation d'avouer que son supposé prince charmant la rouait de coups! Et puis, à l'époque, elle ne souhaitait pas ternir le prestige de la famille McCrory. Encore moins susciter la pitié de son entourage.

Au début, encore traumatisée, elle n'avait pas songé à l'avenir. Mais, peu à peu, Madeline y avait été forcée. Combien de temps allait-elle pouvoir garder son secret? La presse était à l'affût du moindre événement, et on s'étonnerait de lui voir cette cicatrice.

Une seule solution: renoncer à chanter en public. Sinon, tôt ou tard, on découvrirait la vérité.

Quelle injustice! Des mois durant, Madeline s'était efforcée de concilier sa carrière et son mariage. Pour cela, elle avait dû accomplir des miracles afin de pouvoir continuer ce métier qu'elle aimait tant. A présent leur couple était désuni, et pourtant Gordon avait gagné.

Ne sachant où aller après sa sortie de l'hôpital, Madeline s'était réfugiée chez Kara. Fidèle comme toujours, son amie l'avait recueillie et entourée pendant cette période difficile.

Madeline était désormais déterminée à divorcer. Discrètement, toujours dans le souci de ne pas éveiller la curiosité de journalistes. Aux yeux du public, Madeline avait abandonné la scène à la suite d'un accident et elle ne tenait pas à ce que cette version change. Le jour où elle suggéra à Gordon d'entamer une procédure, il parut stupéfait. Manifestement, il croyait à une séparation temporaire.

Alors, il commença à la supplier de revenir, la comblant de cadeaux, lui promettant de s'amender. En vain. Ensuite, il se fit plus pressant, monta la garde devant sa porte, la suivit partout, la harcela de coups de téléphone.

Pour couronner le tout, la propre famille de Madeline se mit de la partie. On n'admettait pas qu'elle ait quitté son mari. Pire, on ajoutait foi aux rumeurs d'une liaison avec Denny. A bout, la jeune femme finit par avouer la vérité à sa mère et à son oncle, espérant qu'ils la soutiendraient. Au lieu de cela, tous deux trouvèrent des excuses à Gordon.. toujours les mêmes excuses.

— Ma pauvre petite, répétait sa mère, tu n'incarnais vraiment pas l'épouse modèle ! C'était à prévoir… il passait toujours en dernier.

Cette réaction, Madeline ne l'acceptait pas. Incomprise, condamnée par les êtres qui lui étaient proches et la connaissaient… Comment était-ce possible ?

Deux mois et demi plus tard, la situation n'avait pas évolué. Noël approchait. Il neigeait sur Chicago. Dans l'espoir de distraire Madeline, Kara l'entraîna dans une frénésie de préparatifs en vue des fêtes. Une fin d'après-midi, les deux complices retournaient à l'appartement, encombrées d'un immense sapin et bavardant gaiement, quand elles aperçurent la voiture de Gordon, stationnée de l'autre côté de la rue. Il devait attendre depuis des heures, à en juger par l'épaisseur de neige qui recouvrait le véhicule.

Avec un soupir, Madeline s'apprêta à traverser mais Kara la retint par la manche.

— N'y va pas ! Je le crois capable de tout.

— Rassure-toi, il est encore mon mari, malgré tout. Je ne peux l'ignorer totalement. Ouvre l'œil quand même…

Sous le regard désapprobateur de son amie, elle s'était dirigée vers la voiture. La tête de Gordon reposait sur le volant. Quand Madeline tapa contre le carreau, il la releva lentement, puis fit descendre la vitre. Très pâle, il avait les yeux injectés de sang.

— Gordon, qu'as-tu ? s'exclama-t-elle, affolée.

D'une voix à peine perceptible, il marmonna :

— Je n'en peux plus… Je ne dors pas, je suis

incapable de travailler. Sans toi, ma vie n'a aucun sens.

Et il désigna le siège du passager. Epouvantée, Madeline entrevit l'acier brillant d'un revolver.

— Tu es fou! A quoi joues-tu?

— Je ne joue pas et tu as raison: je suis fou... Fou d'amour pour toi. Plutôt que de te perdre, je préfère mourir.

— Allons donc, tu ne vas pas te tuer! Je refuse de croire à une chose pareille.

— Tu verras bientôt si je plaisante! Je voulais juste te dire que je ne te veux aucun mal... mais c'est la seule issue possible pour moi.

Comment l'abandonner dans un tel désespoir? Madeline parvint à le convaincre de l'accompagner. Ils discutèrent toute la nuit et elle finit par accepter de retourner vivre avec lui. En contrepartie, il promit de se faire soigner... naturellement, il ne tint jamais sa promesse et continua à boire.

Les six mois qui suivirent furent un cauchemar pour Madeline. Impossible de composer. La jeune femme ne s'absenta qu'une seule fois — à l'occasion de l'enterrement de sa tante. D'ailleurs, elle avait honte, elle évitait tout le monde: les McCrory, sa propre famille, et même Kara. Son amie la blâmait d'avoir cédé à Gordon.

Dès le premier jour, la jalousie de Gordon devint étouffante. Il ne supportait pas de perdre Madeline de vue, ne fut-ce qu'un instant. Pour avoir la paix, elle ne renonça à aucun sacrifice. Madeline s'efforçait de devenir la femme qu'il souhaitait. Tâche surhumaine ! Rien de ce qu'elle faisait ne trouvait grâce aux yeux de Gordon. Sans cesse, il tempêtait et fulminait.

Ni l'un ni l'autre n'était heureux. Madeline patientait, espérant qu'il se lasserait de cette situation et finirait par accepter le divorce. Quelle erreur ! Il la considérait comme sa propriété, exigeait qu'elle l'aime en dépit de tout...

Machinalement, Madeline passa une main dans ses cheveux et frissonna à l'évocation de cette période affreuse de son existence. Tout à l'heure, elle avait failli tout raconter à Adam. S'il l'avait interrogée au lieu de se montrer si dur, elle lui aurait livré son secret.

Et ensuite ? Décidément, sa naïveté n'avait pas de limite. Comment l'aurait-il crue, lui, un ami des McCrory ? Comment lui aurait-il accordé une confiance que sa propre mère lui refusait ? Lors de leur première rencontre, il l'avait accusée d'avoir été une piètre épouse, infidèle de surcroît. Au fond, il estimerait sans doute que la conduite de Gordon était justifiée, vu les circonstances.

Elle qui évitait les hommes depuis si longtemps, pourquoi n'était-elle pas capable de fuir Adam Crawford ? Son tempérament ne paraissait-il pas aussi instable que celui de Gordon ?

La tête posée sur ses genoux, Madeline soupira. Comment savoir si le même cycle infernal ne se répéterait pas ? Non, impossible de courir un risque aussi énorme !

114

Debout devant la fenêtre de son bureau, Adam observait Madeline, adossée au mur de la grange. Il n'avait cessé de la regarder depuis la scène dans le grenier à foin. Et il s'accablait de reproches. Etait-il devenu fou ? Madeline Richardson ne jouait pas la comédie. De toute évidence, quelque chose l'effrayait, il l'avait lu dans ses yeux à plusieurs reprises. Au lieu d'essayer de la rassurer, il avait agi de façon brutale et irrationnelle.

Enfin, la jeune femme se leva.

— Alors, mon vieux, comment vas-tu te faire pardonner ? s'inquiéta-t-il tout haut.

Ce serait dur, mais il l'avait bien cherché !

A l'instant où Madeline entrait par la grande porte, Adam surgit devant elle, lui bloquant le passage. Surprise, elle se figea.

— Madeline, je voulais juste…

— Inutile, Adam, l'interrompit-elle d'une voix lasse. C'est trop fatigant de vouloir comprendre. Admettons une fois pour toutes que les excuses passées, présentes et à venir sont acceptées et n'en parlons plus, voulez-vous ?

— Bon sang, Madeline ! Malgré tous mes efforts, je ne sais pas comment m'y prendre avec vous. Je mérite une bonne gifle, pourquoi ne me la donnez-vous pas ?

— Parlez-vous sérieusement ?

— Bien sûr. J'ai été odieux, vous avez le droit de me punir. N'est-ce pas la règle du jeu ? L'ennui, c'est que, jusqu'à maintenant, vous n'avez jamais fréquenté un authentique gentleman.

Les yeux bleus de Madeline virèrent au gris, sa voix se fit coupante.

— Si vous faites allusion à mon lourd passé de séductrice, vous avez raison : je n'ai pas encore rencontré un seul authentique gentleman. Quant à vous, vos manières vous trahissent... Vous n'êtes qu'une brute, Adam !

Pour la première fois, elle manifestait des signes de colère, ce qui réjouit Adam. Tout, plutôt que ce masque d'indifférence qui lui donnait envie de la provoquer.

— Pourquoi ne pas céder à vos instincts, Madeline ? murmura-t-il. J'aimerais que vous hurliez votre fureur quand on vous attaque, dussé-je en subir moi-même les conséquences.

— N'y comptez pas ! Depuis ma jeunesse, on m'a appris à maîtriser mes émotions. D'ailleurs, pour quelle raison m'emporterais-je contre vous ? Je savais ce que je faisais... Quelle idiote ! J'aurais dû me douter de ce qui m'attendait.

Son intonation résignée blessa Adam plus efficacement qu'une gifle.

— Vous traitez-vous d'idiote parce que vous étiez sur le point de vous confier à moi ? s'enquit-il. C'est de ma faute, si je ne m'étais pas comporté comme un imbécile, vous m'auriez révélé une partie de votre mystère...

— Peut-être, mais à quoi bon ? Dès notre première rencontre, vous m'avez dit tout connaître de Madeline Richardson, la sorcière.

— J'avais tort... Tort de faire cette déclaration

stupide qui ne rimait à rien... Tort de prendre pour argent comptant ce que j'entendais... Tort d'imaginer que je pouvais habiter cette maison en vous fuyant.

Il s'empara de sa main, la serra doucement.

— Et si nous faisions une trêve, Madeline? Essayez de ne pas chercher un double sens à chacune de mes paroles.

— Vous m'en demandez trop! Je peux vous pardonner, mais impossible de recommencer à zéro. Nous autres, adultes, avons trop de souvenirs, trop de préjugés. Nous demeurons constamment sur nos gardes, nous nous attendons toujours au pire de peur d'être déçus.

Adam resserra son étreinte et déclara d'un ton vibrant:

— Je vous en prie, accordez-moi cette chance de mieux vous connaître. Vous rendez-vous compte de ce nous risquons de perdre?

— Quand Adam avait parlé de son « irrésistible charme », il ne se vantait pas, se dit-elle. Qui aurait pu rester indifférent? Pas elle en tout cas!

— Ecoutez, Adam, nous ne sommes pas faits pour nous entendre, j'en suis convaincue. Cependant...

Elle s'interrompit, haussa les épaules, puis acheva d'un ton fataliste:

— La réalité est là, nous ne pouvons l'ignorer. Il nous faut continuer à cohabiter sans trop de heurts.

Adam réfléchit puis décida de prendre le risque.

— C'est très important pour moi, Madeline...

Révélez-moi la cause de votre panique, tout à l'heure dans la grange. Est-ce en rapport avec vos cauchemars ?

— N'insistez pas, vous ne saurez rien. Du moins pas maintenant... et peut-être jamais. Nous avons commis une grave erreur, Adam. Celle de vouloir brûler les étapes. A partir d'aujourd'hui, nous devrions nous montrer plus prudents.

Avec un faible sourire, elle ajouta :

— Bon, maintenant permettez-moi de vous quitter. J'ai beaucoup de travail.

— Pas avant que vous me disiez ce qui vous fait si peur.

— Je vous l'ai déjà dit, mais vous refusez de comprendre. J'ai peur de vous... et plus encore de moi.

Secouant ses mèches encore humides de la baignade, Madeline se massa la nuque.

— Si cela ne vous suffit pas, enchaîna-t-elle, je suis également terrifiée de ne pas terminer à temps ce que j'ai entrepris. Alors laissez-moi partir en paix, Adam.

Perplexe, il la regarda s'éloigner. Comme sa silhouette semblait fragile... Quand il l'avait embrassée, il avait découvert le feu qui couvait sous la glace. La passion qui se déchaînait dans un tourbillon...

Cette ensorceleuse lui avait-elle jeté un sort ? Peut-être, mais il ne souhaitait pas le conjurer.

Bientôt, les notes d'un piano lui parvinrent, assourdies par la distance. En quoi consistait donc ce travail urgent qui l'accaparait? se demanda-t-il avec curiosité.

Caresserait-elle encore l'espoir de réussir une carrière musicale?

Perplexe, il regagna l'aile qui lui était réservée.

9.

Madeline se concentra sur sa musique. Très vite, elle redevint Melody Richards, composant une œuvre de Melody Richards: paroles, mélodie, arrangements...

Son travail ne lui laissa pas une minute de répit jusqu'au soir. Le lendemain matin, il ne lui restait plus qu'à apporter la dernière touche à sa chanson... cette chanson qu'une autre interpréterait, songea la jeune femme non sans quelque tristesse. Alors, qu'attendait-elle pour saisir l'occasion de remonter sur scène? Ses amis la suppliaient depuis longtemps, ils seraient enthousiastes! Oui, mais... le courage lui manquait.

En revanche, elle avait promis de les aider lors des répétitions. D'ailleurs, il était grand temps d'aller les retrouver à Chicago! Vite, elle empila pêle-mêle quelques vêtements dans un sac de voyages, laissa une note à l'intention d'Adam pour le prévenir qu'elle s'absentait en emmenant Brandy, puis partit au volant de la Jaguar.

Les cinq jours suivants se révélèrent épuisants. Au groupe de Mada Lynn s'était joint son ancien groupe, le *Melody Richards Band*, à l'exception de Denny Winslow empêché à la dernière minute.

Avant la première répétition, Madeline s'était juré de se tenir le plus possible à l'écart. Cela lui faisait trop mal de revivre cette ambiance survoltée qu'elle avait tant aimée. Son rôle se limiterait au strict minimum. Elle donnerait les indications pour la musique, modifierait certains passages si nécessaire, passerait de temps en temps pour constater les progrès, c'est tout !

Rien ne se passa comme elle l'avait prévu. Séance après séance, on sollicitait ses conseils. Bizarrement, les membres du groupe de Mada Lynn étaient victimes de trous de mémoire inquiétants. Même pour des chansons qu'ils connaissaient depuis des années.

Et puis, lorsqu'on abordait un morceau particulièrement difficile, le musicien qui devait le jouer disparaissait comme par enchantement... tant et si bien que Madeline était obligée de le remplacer.

Comble de malheur, un beau matin elle reçut un coup de fil de Mada Lynn.

— Figure-toi que je suis au lit avec une intoxication alimentaire, déclara la vedette d'une voix mourante. C'est une catastrophe ! Si tu n'acceptes pas de chanter à ma place aujourd'hui, nous serons forcés d'annuler le concert.

Arriva le mardi. Le jour de la répétition générale. A la stupéfaction de Madeline, les musiciens n'arrêtaient pas de se quereller à tout propos. A la suite d'une dispute encore plus violente, Mada Lynn les planta là en déclarant qu'elle abandonnait à Madeline le soin de mettre en scène la nouvelle chanson.

Madeline fut près de renoncer. Mais se ravisa. Annuler le gala créerait un scandale. Et puis, en fin de compte, elle ne se débrouillait pas mal ! Sa capacité à maîtriser la situation l'étonna. Quand enfin elle put envisager de partir, plus aucun problème ne subsistait.

Madeline ne regagna Willow Shores que tard dans l'après-midi du mercredi. Son programme était tout tracé : d'abord, le coucher de soleil sur le lac, bien à l'abri dans son refuge secret. Après, un bon petit repas préparé par ses soins...

Lorsqu'elle ralentit en débouchant devant la maison, un sourire mélancolique se dessina sur ses lèvres. En dépit de ses multiples occupations, Adam n'avait cessé de hanter ses pensées.

N'était-ce pas naturel, au fond ? Quand on passe des heures à interpréter des chansons d'amour, comment oublier l'homme le plus séduisant de la terre ?

Tiens, la Jaguar était de nouveau dans le garage ! remarqua Adam avec plaisir.

En lisant le petit mot de Madeline, sa déception avait été vive. Où était-elle ? Avec qui ? Durant son absence, Kara avait appelé... Conclusion : Madeline ne logeait pas chez son amie.

Enfin, maintenant qu'elle était de retour, il devait lui transmettre le curieux message de Kara. Bonne excuse pour chercher à lui parler.

Il n'eut pas à chercher longtemps. A l'instant précis où il contournait la maison, il l'aperçut qui traversait la prairie. Sous son regard ébahi, elle disparut dans le sous-bois.

Adam s'élança à sa poursuite, et parvenu à la lisière des arbres, il s'immobilisa, perplexe. Nulle trace de sentier dans l'épais tapis d'aiguilles de pin. Où Madeline se cachait-elle ?

Loin devant lui, entre les troncs, il crut distinguer la tache rose de son tee-shirt. D'une démarche hésitante, il partit dans cette direction.

Au bout de quelques centaines de mètres, il s'arrêta à nouveau, les sourcils froncés. Quelle situation absurde ! Elle ne s'était tout de même pas évanouie dans la nature...

Soudain, il y eut un rire, il sentit deux mains lui masquer les yeux.

— Coucou ! Devinez qui est là ?

Sa voix essoufflée était un peu rauque, son parfum délicat l'enivrait. Instantanément, le désir d'Adam se réveilla.

— Voyons, fit-il. Etes-vous l'esprit du Grand Sorcier de la forêt ?

Brusquement, il se retourna et feignit la déception.

— Oh, c'est vous !

Qu'elle était charmante ainsi, songea-t-il, ému. Pieds nus, longues jambes hâlées, poitrine ferme et, surtout, ses grands yeux d'un bleu profond... Oui, il brûlait d'envie d'embrasser ces lèvres...

— A présent j'en suis certain, vous êtes une nymphe des sous-bois.

Madeline éclata d'un rire sensuel et juvénile à la fois.

— Pourquoi cet air déconcerté, Adam ? s'écria-t-elle. Je savais que vous me suiviez... vous faisiez plus de bruit qu'un troupeau de caribous fuyant une horde de loups affamés !

— Je n'ai jamais prétendu être un Tarzan, rétorqua-t-il, un peu vexé. Mon métier de professeur me suffit. En revanche, je m'étonne qu'une citadine se déplace si aisément à travers bois et grimpe aux arbres avec l'agilité d'un jeune Indien.

— Ah, ah, justement ! Figurez-vous que nous avons des origines indiennes du côté des Richardson. Quand j'étais petite, je me déguisais en princesse de la tribu. Je dévorais tous les livres se rapportant aux coutumes et aux rites des indigènes de la région. Je passais des heures à étudier la nature, les animaux de la forêt et des champs.

Elle esquissa un sourire et lui saisit la main.

— Si vous souhaitez vivre une expérience unique, vous n'avez qu'à me suivre. Mais dépêchez-vous, il est presque l'heure.

Sans attendre de réponse, elle se mit à marcher.

Intrigué, il la suivit. L'odeur des pins s'intensifia. Leurs pieds s'enfonçaient profondément dans le tapis d'aiguilles. Une sensation nouvelle et curieuse pour Adam.

De son côté, Madeline s'inquiétait. N'avait-elle pas eu tort de l'inviter à l'accompagner ? Et s'il se moquait d'elle ?

La jeune femme se retourna, observa Adam qui la rejoignait. Son sourire la tranquillisa. Il s'amusait follement... Il ne fallait surtout pas le décevoir !

A présent, ils approchaient du cœur de la forêt. Enfin, Madeline s'arrêta devant une énorme butte de terre et de rochers où s'entrelaçaient les racines de huit chênes gigantesques. Leur feuillage était si épais qu'on n'arrivait pas à distinguer le ciel à travers.

Ebahi, Adam considéra les troncs noueux et siffla.

— Dire que j'ignorais leur existence ! Ces arbres constituent un défi à la nature. Comment ont-ils pu s'élever aussi haut alors qu'ils sont tellement proches les uns des autres ?

— Peut-être se soutenaient-ils mutuellement pour ne pas glisser en bas de la falaise.

— Peut-être, en effet...

Hypnotisé par les branches d'une taille impressionnante qui les dominaient, Adam reprit :

— Au cas où l'une d'elle tomberait, nous serions écrasés. Et pourtant, on se sent étrangement en sécurité dans cet endroit.

A ces mots, Madeline poussa un soupir de soulagement. Quel bonheur ! Adam éprouvait exactement les mêmes sensations qu'elle. Maintenant,

126

elle avait hâte de lui faire partager son univers féerique.

— Avez-vous des notions d'escalade ? s'enquit-elle à brûle-pourpoint.

— Hum... Qu'entendez-vous par là ?

— Peureux ! Il s'agit seulement de franchir cette butte afin de passer de l'autre côté de la falaise.

— N'existe-t-il pas un autre chemin ?

— Si, mais celui-ci est plus spectaculaire.

— Je me méfie. Ne serait-ce pas une tentative de votre part pour me faire disparaître ? Comment le saurai-je ?

— Vous ne le saurez pas, décréta Madeline avec un sourire qu'elle espéra équivoque. Moi, j'y vais. Faites comme vous voudrez...

Naturellement, il la suivit... et s'en tira fort bien.

— Vous êtes un hypocrite, monsieur Crawford !

Ouvrant de grands yeux innocents, il fit mine de s'étonner :

— Moi, un hypocrite ? J'étais terrorisé, là en bas. Tenez, posez votre main sur mon cœur, vous verrez comme il bat !

Madeline s'apprêtait à obéir lorsqu'elle comprit ses intentions.

— Décidément, vous n'avez qu'une idée en tête !

— Faux ! J'en ai plusieurs, mais qui se rejoignent...

Elle le foudroya du regard.

— Je devrais vous renvoyer à la maison... pour garantir ma sécurité !

— Oh non ! Vous ne seriez pas si dure !

— Bon, je vous accorde une dernière chance. A condition que vous soyez sage! Vous allez grimper là-haut et me raconter ce que vous voyez.

Quelques instants plus tard, Madeline entendit une exclamation étouffée. Esquissant un sourire, elle monta le rejoindre.

Il était à quatre pattes devant l'entrée de sa grotte, manifestement sidéré. Par l'ouverture étroite, on apercevait une cavité assez spacieuse à l'intérieur de laquelle un homme pouvait se tenir debout. Une natte recouvrait le sol, des bougies garnissaient les nombreuses anfractuosités du rocher et, au fond, sur une étagère rudimentaire, il y avait des bouteilles de vin ainsi que des gobelets en plastique.

— Un repaire secret, déclara Adam. Un paradis au milieu de la verdure pour abriter les rêves d'un enfant...

Ouf! Heureusement il ne lui faisait pas un sermon sur le danger des éboulements!

A la place, il se perdit dans la contemplation de la vue sur le lac, au-delà des frondaisons.

— Compliments, Madeline. Je suis ensorcelé.

— Tant mieux. Entrez, nous allons boire un verre de vin tout en admirant le coucher du soleil.

On aurait dit un petit garçon à qui on proposait une aventure fantastique.

— Cela ne vous dérange pas d'avoir un étranger dans votre refuge?

— Non, s'il est capable de l'apprécier.

— Vous plaisantez! Quel enfant n'a pas rêvé de découvrir une pareille grotte?

128

— Parce que vous vous considérez toujours comme un enfant?

— En ce moment, oui, je le confesse. Pas vous?

— Mmm… Si, quand je suis ici.

Elle déboucha une bouteille et ajouta:

— Pour être tout à fait franche, j'ai parfois l'impression de n'avoir pas encore atteint l'âge adulte. Oh, ce ne sont pourtant pas les expériences qui m'ont manqué — je suis loin d'être naïve mais…

Adam la fixait avec une telle intensité que ses joues s'empourprèrent.

— Je vous parais stupide, n'est-ce pas? balbutia-t-elle.

L'espace d'un instant, leurs regards se croisèrent.

— Non, vous ne me paraissez pas stupide, répondit-il après avoir détourné les yeux. Moi aussi, j'éprouve la même chose.

Il étudia le liquide couleur de rubis comme s'il pouvait y lire l'avenir.

— Les fautes et les blessures du passé semblent plus faciles à porter quand nous croyons que nous recommencerons un jour à vivre, murmura-t-il.

Ces paroles stupéfièrent Madeline. Elles contrastaient tellement avec sa bonne humeur habituelle. Lutterait-il, lui aussi, contre ses propres démons? Comment l'aider à oublier ce qui assombrissait son visage? Comment se permettre de lui poser des questions alors qu'elle refusait de répondre aux siennes?

Afin de détendre l'atmosphère, elle se dirigea

vers le fond de la grotte et en ramena une boîte à cigares.

— Ouvrez-la, ordonna-t-elle. Et surtout ne vous moquez pas de moi.

Assis en tailleur, Adam examina avec enthousiasme les trésors accumulés par une petite Madeline de dix ans : des flèches, des plumes, des fleurs séchées...

Comme ses mains caressaient un galet, la jeune femme étouffa un soupir. Son geste évoquait de sensuelles images... Mieux valait penser à autre chose ! D'un ton léger, elle enchaîna :

— Plus tard, en grandissant, mes fantasmes se transformèrent. J'incarnais la jeune fille éperdument amoureuse d'un preux chevalier...

Avec un rire nerveux, Madeline s'interrompit. Pas très réussi comme changement de sujet !

— Il faut dire que j'avais une imagination débordante, acheva-t-elle.

— Ce qui vous permettait de vous évader d'un présent où vous n'étiez pas heureuse. Je me trompe ?

— Je... je ne me rendais pas compte que vous m'écoutiez quand j'évoquais mon enfance, le jour de mon arrivée.

— Non seulement j'écoutais ce que vous disiez, Madeline, mais aussi ce que vous ne disiez pas.

Gênée, elle baissa les yeux et but une gorgée de vin.

— Regardez ! s'exclama-t-elle tout à coup en désignant le lac.

130

Il suivit la direction de son geste et éclata de rire. Sur la rive, un rat musqué trempait sa patte dans l'eau comme pour vérifier la température. S'enhardissant ensuite, l'animal nagea sur quelques mètres avant de disparaître en un gracieux plongeon.

— Vus de cette distance, ce sont d'adorables petites bêtes, déclara Adam. Par contre, de près il vaut mieux s'en méfier.

— Vous avez raison, j'en ai fait la douloureuse expérience ! Etant enfant, j'avais réussi à en attraper un. On a dû me vacciner contre la rage ! Cet incident m'a appris à respecter les animaux sauvages.

Avec un sourire, il lui effleura les cheveux. Un frisson de plaisir parcourut Madeline. Hélas, il retira sa main pour reprendre son verre.

Le soleil déclinant embrasait le ciel. L'air embaumait le pin et la fougère, les oiseaux s'égosillaient, volant de branche en branche.

— C'est bizarre, murmura Adam. Je n'avais jamais remarqué la taille extraordinaire de ce saule, là-bas, au bord du lac. Pourtant, quand on le regarde de près, il ne paraît pas gigantesque à ce point. Comment expliquez-vous ce phénomène ? Serait-ce une illusion d'optique ?

— Il n'existe pas d'explication logique à ce phénomène, professeur.

— Est-ce en rapport avec la fameuse expérience unique et spirituelle ?

— Tout juste.

Madeline remplit de nouveau leurs verres, s'appuya confortablement à la paroi rocheuse.

— Bravo, vous avez le sens de l'observation ! poursuivit-elle. Ce saule ne s'étale pas toujours ainsi. Cela ne se produit qu'au coucher du soleil... d'après la légende, en tout cas.

— Quelle légende ?

— Eh bien, on raconte que cet arbre est le premier saule qui ait poussé au bord du lac. Il a inspiré un grand nombre de récits.

— En connaissez-vous ?

— Pas tous. Mais je vais vous narrer celui que je préfère.

Elle s'éclaircit la voix et commença :

— Jadis, la région était peuplée de tribus indigènes qui se faisaient constamment la guerre. Un soir, au coucher du soleil, une ravissante princesse se tenait au bord du lac, à l'emplacement de ce saule. Son fiancé, un valeureux combattant, lui jura de revenir dès la bataille terminée, l'embrassa une dernière fois puis s'éloigna dans sa barque. Les larmes aux yeux, la belle le regarda disparaître dans la brume du soir, juste au moment où le soleil rasait l'horizon. Il ne revint jamais.

— Et alors ?

— Alors, la princesse attendit son amoureux, refusant de quitter le rivage. Le cœur brisé, elle se laissa mourir. A l'endroit où l'on retrouva son corps, un arbre inconnu commença à pousser : un saule pleureur. Certains prétendent qu'il pleure vraiment et que ses larmes alimentent le lac.

132

D'autres assurent qu'au coucher du soleil, il étend ses rameaux sur la baie pour embrasser l'esprit du guerrier qui flotte au-dessus de l'eau.

Au lieu de se moquer, Adam déclara :

— Je conçois qu'un site aussi merveilleux puisse inspirer des histoires d'amour.

Une lueur rouge les enveloppait. Madeline chercha le regard de son compagnon.

— Comprenez-vous pourquoi je ne vendrai jamais Willow Shores à des promoteurs ? Ce lac, ce paysage, ces légendes, comment pourrais-je m'en séparer ?

Doucement, il posa sa main sur la sienne. Elle s'efforça de ne pas manifester le bonheur que lui procurait ce contact.

— J'ai beaucoup apprécié cette expérience, Madeline, murmura-t-il.

— Et moi, j'ai beaucoup apprécié de la partager avec vous.

— L'aviez-vous déjà fait ? Je veux dire... la partager avec quelqu'un ?

— Non.

Il continua à lui caresser la main, remontant insensiblement le long de son bras. Elle en éprouvait une légère ivresse.

— Pourquoi moi ? s'enquit-il.

— Ah, si je le savais...

La main d'Adam se déplaça vers la cuisse de Madeline. Il était grand temps d'arrêter ce jeu dangereux, songea-t-elle avant d'ajouter :

— C'est peut-être à cause de votre sourire désarmant... de vos cheveux toujours en bataille...

133

— Vous me considérez comme un petit garçon en quête d'aventure, c'est bien cela ?

L'air malheureux, il se leva. Comme elle l'imitait, il soupira.

— Allons, nous ferions mieux de rentrer, déclara Madeline.

Sur le chemin du retour, elle le guida dans l'obscurité à l'aide d'une lampe de poche.

— Vous me décevez, fit-il, taquin. Une nymphe des sous-bois, utiliser une torche ! Ne sauriez-vous confectionner un éclairage avec des lucioles ?

— Je l'ai fait, autrefois, figurez-vous. Mais c'est trop cruel. Regardez leurs arabesques lumineuses autour de nous, n'est-ce pas un spectacle enchanteur ?

— A mon avis, vous offrez vous-même un spectacle enchanteur.

— A mon avis, vous avez bu trop de vin !

— Savez-vous que vous me troublez plus que le vin le plus capiteux ?

Madeline s'immobilisa, frémissante. Il s'approcha, lui saisit le menton.

— Tout à l'heure, dans la grotte, j'ai respecté votre cachette mystérieuse, souffla-t-il. Je ne voulais pas risquer de profaner la magie de cet endroit. Au fond, j'étais heureux d'être avec vous, tout simplement, de vous écouter, d'admirer vos trésors. Mais, en même temps, je désirais m'étendre à vos côtés, je brûlais de vous caresser, de vous...

— Adam !

— Chut, laissez-moi terminer. Je vous désire,

Madeline. Oui, depuis le premier jour, je vous désire. Chaque fois que je vous vois, chaque fois que je vous parle, mon désir s'intensifie. Comment vous expliquer? Près de vous, j'éprouve des émotions que je n'avais connues auprès d'aucune autre femme.

Du bout des doigts, il lui frôla les lèvres. Après quelques secondes, elle s'écarta.

— Enfin, Madeline, vous ne pouvez nier éprouver quelque chose pour moi, vous aussi!

Non, elle ne pouvait pas le nier. Certes, elle éprouvait quelque chose pour lui... A cet instant-même, son cœur battait la chamade.

— Je... je ne suis pas prête, Adam.

— Je sais, et je n'ai pas l'intention de vous harceler. Vous aviez raison d'affirmer que nous devons apprendre à nous faire confiance mutuellement. Moi, j'ai déjà commencé.

Madeline recula, secoua la tête.

— Attention, Adam, n'utilisez pas ce mot à la légère.

— Je ne l'utilise pas à la légère. Mais c'est sans doute plus facile pour moi. N'importe qui peut se rendre compte que vous avez traversé de pénibles épreuves.

Il s'interrompit, posa ses mains sur les épaules de Madeline et acheva avec un sourire :

— Mais je serais le dernier des imbéciles d'imaginer que vous me céderiez... uniquement à cause de mon physique avantageux.

— Et modeste, avec ça! railla-t-elle en lui rendant son sourire.

— Pas modeste, honnête. Une fois, vous avez dit que vous ne me mentiriez jamais. Et je le crois. Moi non plus, je ne vous mentirai jamais... Un jour viendra, je le souhaite, où vous le croirez. Ensuite, peut-être, serons-nous amants? En attendant, je compte vous prouver que je peux aussi être votre ami.

Avec un rire nerveux, Madeline ébouriffa ses boucles.

— Que suis-je censée répondre? murmura-t-elle.

Un large sourire fit briller les yeux d'Adam.

— Invitez-moi à dîner, par exemple, suggéra-t-il.

— Oh non! Je ne suis pas près d'oublier la manière dont vous avez accueilli ma première invitation.

— Depuis, j'ai beaucoup changé.

— C'est vous qui le dites! Ecoutez, Adam, je ne peux pas vous donner ce que vous désirez.

— Je vous le répète, je ne vous harcelerai pas.

— Bon, eh bien c'est d'accord.

Sur ce, Madeline sauta par-dessus la haie et courut vers la porte de la cuisine. Adam la suivit. Elle lui ouvrit, le salua et lui fit signe d'entrer.

— Maintenant, au travail! décréta-t-elle. Je vous charge du feu pour les grillades.

A l'instant précis où le battant allait se refermer, Brandy fonça à travers la haie et se précipita dans la cuisine. A une telle vitesse qu'elle dérapa jusqu'au milieu de la pièce, se cogna à un pied de table avant de s'affaisser lamentablement.

Madeline parvint à étouffer son fou rire mais Adam, qui ignorait le caractère susceptible de la chienne, donna libre cours à son hilarité. Brandy se releva, lui lança un regard offensé, puis se retira, la tête haute.

— Voilà, vous avez gagné! s'écria Madeline. Elle va bouder pendant des heures dans le petit salon.

— Décidément, je ne sais pas m'y prendre avec les femmes de cette maisonnée!

— Si seulement c'était vrai! ironisa-t-elle.

Encore souriante, elle lui tendit une boîte d'allumettes.

— Allez vous occuper du barbecue dehors. Pendant ce temps, je préparerai tout ce qu'il faut ici.

Docile, Adam sortit, versa de l'essence sur le charbon de bois. Une bonne dose d'essence... pour qu'il y ait beaucoup de braises.

Ensuite, il jeta une allumette enflammée... et se rejeta vivement en arrière.

— Seigneur!

Une colonne de feu s'élevait avec un ronflement, menaçant les arbres des alentours. Un peu inquiet, Adam jeta un coup d'œil du côté de la cuisine. Ouf, Madeline tournait le dos à la fenêtre. Pourvu qu'elle n'aperçoive pas le brasier avant que les flammes meurent!

— Au feu, au feu! hurla une voix terrorisée derrière lui.

Adam se retourna. A l'autre bout du patio, Tim Galloway haletait, les yeux écarquillés.

— Calme-toi, Tim. J'ai eu la main un peu lourde avec l'essence, expliqua Adam en marchant à sa rencontre.

— Je... j'étais devant la grange... On aurait dit que la maison entière brûlait! cria l'adolescent, manifestement hors de lui.

— Chut! fit Adam.

Trop tard! Madeline était déjà sur le pas de la porte.

— Bravo! s'exclama-t-elle. Tiens, bonjour, Tim! Tu n'as pas appelé les pompiers?

— N...non. Mais vous devez me juger stupide! Si je craignais réellement un incendie, j'aurais dû les prévenir tout de suite, c'est évident!

Les poings crispés, Tim offrait l'image du désespoir.

— Détrompe-toi, je ne te crois pas stupide, le rassura Madeline. Au contraire, je me réjouis que ton pyromane de professeur n'ait pas à s'expliquer avec le capitaine des pompiers!

— Euh... intervint Adam. Justement, j'ai à discuter avec Tim. Avez-vous encore besoin de moi? Nous irions faire une petite promenade, tous les deux...

— Allez vous promener, mes enfants. Et, Tim, ne lui prête pas d'allumettes, s'il te plaît.

De nouveau, le jeune homme se raidit.

— Viens, ordonna Adam en lui saisissant le coude.

Lorsqu'ils se furent assez éloignés, il lui désigna l'un des bancs construit en rondins.

— As-tu retrouvé ton sang-froid ? l'interrogea-t-il.

— Oui... Excusez-moi, je me suis affolé, marmonna Tim, tête basse. Au fait, vous semblez en excellents termes avec Mme Richardson, ajouta-t-il d'un ton maussade.

— En quoi cela te regarde-t-il ? Du reste, j'ai été surpris qu'elle connaisse ton nom.

— Oh, elle nous a rendu visite à plusieurs reprises... pour faire connaissance, soi-disant. Certains garçons accomplissent de petits travaux pour elle.

— Pas toi, naturellement ?

Tim haussa les épaules sans répondre. Adam attendit en silence. A la fin, l'adolescent l'interrogea sans ambages :

— Vous a-t-elle révélé ce qu'elle compte faire de la métairie ?

— Tu le sais aussi bien que moi, voyons ! Elle est en train de la faire réparer. Pourquoi ? As-tu entendu dire autre chose ?

— Non, rien.

Puis, brusquement, Tim se releva.

— Ecoutez, professeur Crawford, autant vous l'avouer tout de suite, j'abandonne mes études. Oui, je rentre chez moi pour travailler à la ferme de mes parents.

Adam pâlit. Ce n'était pas la première fois qu'on lui annonçait une décision de ce genre. Mais que le plus brillant de ses élèves renonce en cours d'année le navrait particulièrement.

— Tu ne crois pas que tu serais un meilleur agriculteur en finissant tes études? insista-t-il. Si c'est une question d'argent, M. McCrory n'est pas l'unique personne à octroyer des bourses, tu sais.

— Ce n'est pas une question d'argent. Le programme ne m'intéresse plus, voilà tout.

Ulcéré, Adam se remit debout, chercha le regard de son élève.

— Je ne te crois pas, Tim.

Détournant les yeux, le jeune homme grommela :

— Cela m'est égal. Je m'en vais, c'est clair ?

— Hélas, oui.

Comme Tim s'éloignait déjà, Adam ajouta :

— Si tu as un problème, n'hésite pas à venir m'en parler. Je serai toujours heureux de t'aider, Tim. Mais je t'en supplie, ne tarde pas trop !

10.

Confortablement installé dans l'une des chaises-longues du patio, Adam buvait son café. En face de lui, Madeline, perdue dans ses pensées. Qu'elle avait l'air triste, tout à coup! Et comme son humeur était changeante... Parfois gaie, détendue, parfois mélancolique et distante.

Pourtant leur dîner s'était déroulé dans une atmosphère merveilleuse. Il avait refait un feu sur lequel avaient grillé des brochettes d'agneaux. Ensuite, Madeline avait préparé une délicieuse salade composée, accompagnée de pain cuit à la maison, bien entendu. Adam admira l'aisance de la jeune femme en matière de cuisine. Encore un aspect d'elle qu'il ignorait.

Quand il s'était proposé pour l'aider, elle avait paru surprise. Manifestement, Gordon ne participait guère...

A présent, ils savouraient leur café en silence, sous le ciel étoilé. Par malchance, Madeline avait choisi le siège le plus éloigné de lui, nota Adam, frustré.

— Pourquoi êtes-vous si lointaine? finit-il par protester. Venez vous asseoir près de moi et causons.

Après une seconde d'hésitation, elle se décida à obéir. Perchée au pied de sa chaise-longue, elle s'enquit:

— De quoi allons-nous parler?

— Je vous laisse le choix du sujet.

— Très bien, alors parlons de vous. Racontez-moi votre enfance.

— Si vous voulez... Je suis originaire du Missouri. A l'heure actuelle, mes parents se sont retirés en Arizona.

— Avez-vous des frères et sœurs?

— Oui, un frère et une sœur.

— Et ensuite? Continuez! A moins que cela vous ennuie d'évoquer votre vie de famille.

— Pas du tout, au contraire, se récria-t-il en posant sa main sur celle de Madeline.

Une agréable sensation de chaleur envahit la jeune femme. Jamais auparavant elle n'avait éprouvé le plaisir d'une amitié toute simple avec un homme.

— Il n'y a pas grand-chose à raconter, poursuivit-il. Nous formons une famille heureuse, comme tant d'autres, voilà tout.

Une fois de plus, elle remarqua son sourire juvénile, la lueur de gaieté au fond de ses yeux. En effet, on voyait qu'il avait eu une enfance heureuse, songea-t-elle.

— Mon père était pasteur, précisa Adam à mi-voix.

— Tiens! Je vous imaginais plutôt avec des parents cultivateurs.

— Il y en avait de nombreux dans mes ancêtres mais mon père n'avait aucune envie de maintenir la tradition. Et il ne se montrait pas très doué d'ailleurs.

Un sourire flotta sur ses lèvres. L'espace d'un instant, il ferma les yeux. Madeline devina qu'il pensait à son enfance. Elle brûla de se blottir contre lui, de partager ses souvenirs, de sentir de nouveau la caresse de sa main. *Non, ressaisis-toi, Madeline!* Il ne fallait pas céder à ce désir.

— Comment en êtes-vous venu à l'agriculture? l'interrogea-t-elle.

Il sursauta, battit des paupières comme quelqu'un qu'on a tiré de son rêve.

— Oh, d'une manière tout à fait détournée, répondit-il enfin. D'abord, des études de gestion, ensuite un emploi très lucratif chez un brasseur d'affaires. Après avoir accumulé le capital nécessaire, j'ai créé ma propre société de conseil en produits agricoles.

Pris par son sujet, il se redressa et poursuivit:

— Mais cette existence ne me satisfaisait pas. J'avais envie d'enseigner, d'inculquer aux futurs cultivateurs quelques notions utiles pour leur avenir.

— Je vois, dit Madeline.

— Voilà. J'ignore si j'atteins ce but, en tout cas je suis content d'essayer.

C'était vrai, Adam offrait l'image d'un homme satisfait. Et Dieu sait si Madeline en avait peu rencontré jusque-là.

— La vie idéale! murmura-t-elle. Une famille unie, un travail qui vous rend heureux, une maison... Le fait d'avoir un père pasteur doit vous procurer une sorte de paix intérieure, je présume.

A ces mots, les prunelles d'Adam s'assombrirent.

— Nous avons tous nos secrets, Madeline — nos erreurs, nos faiblesses. J'aimerais me persuader que j'ai surmonté les miennes, de même que vous vous efforcez de surmonter les vôtres.

— Comment avez-vous eu cette impression?

— Elle est exacte pourtant, non?

— Je l'ignore. Par moments, j'ai l'impression que mon existence se déroule sans que je puisse en altérer le cours. Comme si je n'avais pas de prise sur les évènements.

Adam se leva et se mit à arpenter le patio.

— Il ne faut surtout pas en retirer un sentiment d'impuissance, ni devenir plus fataliste encore, Madeline. Et je me demande si ce n'est pas ce que vous faites.

Troublée, elle le dévisagea furtivement. Quelle tendresse dans ses yeux bruns! Gordon l'avait-il jamais regardée ainsi? Attention, elle ne devait pas se laisser submerger par ses émotions! Si Adam lui devenait indispensable, elle serait perdue.

Se levant à son tour, la jeune femme s'affaira autour du plateau du café.

144

— Pourquoi n'iriez-vous pas faire vos excuses à Brandy? suggéra-t-elle. Nous l'emmènerions en promenade et ainsi vous pourriez me montrer ce que vous faites sur mes terres.

— Seriez-vous inquiète? ironisa-t-il.

— Non, je manifeste simplement de l'intérêt à l'égard de vos activités.

— Quelle politesse! Vous êtes une personne tellement bien élevée, Madeline.

Amusée, elle riposta:

— Professeur Crawford, sachez-le une fois pour toutes: je n'apprécie pas qu'on se moque de moi!

Il s'éloigna en direction de la maison à la recherche de Brandy.

En attendant son retour, Madeline finit de ranger la cuisine. Dix minutes déjà... Que faisait Adam? se demanda-t-elle, les sourcils froncés.

Tout à coup, elle s'écria:

— Oh mon Dieu, non!

Et elle se précipita vers le petit salon qui lui servait de bureau. Comment avait-elle pu être aussi stupide?

Penché sur la table, Adam étudiait un immense plan du lac et de ses abords. Naturellement, il allait en conclure qu'elle voulait lotir cet endroit! A sa grande surprise, au lieu de la remarque cinglante qu'elle attendait, il lui sourit.

— Eh bien, vous voyez que j'avais raison, déclara-t-il.

— Co... comment?

— Vous refusiez de me croire. Selon vous, je

145

mentais en affirmant qu'une société achetait toutes les terres.

Incapable d'articuler un mot, Madeline se borna à secouer la tête.

— Je ne vous en veux pas, poursuivit-il. Cela devait vous paraître étrange, à juste titre. Enfin, je suis content que vous ayez vérifié. Maintenant, vous savez que je disais la vérité.

Comme elle gardait toujours le silence, il enchaîna :

— Excusez-moi d'avoir regardé vos papiers, je voulais juste m'assurer que j'avais raison.

Il s'avança d'un pas... elle recula, se pencha pour caresser Brandy.

— Pardonnez ma curiosité, reprit-il, mais qu'est-ce qui vous faisait croire que je mentais ?

Madeline s'effondra sur le canapé, la tête entre les mains. Non, il ne se doutait pas des machinations de son ami...

— Que vous répondre ? murmura-t-elle. Avez-vous consulté d'autres documents à part ce plan ?

— Bien sûr que non ! Il reposait sur le dessus de la pile... Sinon je ne me serais pas permis de fouiller dans vos affaires.

— Dans ces conditions, n'en parlons plus. Ce n'est pas à moi de vous révéler ces faits. Mieux vaudrait interroger Bill McCrory.

Lentement, Adam vint s'asseoir à côté d'elle et déclara d'un ton grave :

— Non, Madeline, ceci me concerne. En outre, ne croyez-vous pas que Bill a été un peu trop longtemps la source exclusive de mes informations?

— Par quoi dois-je commencer? s'enquit-elle en soupirant.

— Pourquoi pas par le commencement?

Cela n'allait pas être facile, se dit la jeune femme. Quelle serait la réaction d'Adam?

— Mes soupçons furent d'abord éveillés parce que la ferme d'en face appartient à la famille McCrory depuis des années.

— Le domaine Wilson?

— Oui, ces fermes conservent toujours le même nom, quel que soit celui de leurs propriétaires. Wilson était le nom de jeune fille d'une épouse McCrory, il y a bien longtemps de cela. Donc, contrairement à ce que prétend Bill, il possède des terres qu'il pourrait louer à l'université. Vos révélations m'ont intriguée et j'ai appelé Kara pour lui demander de mener une enquête.

A ces mots, Adam tressaillit.

— Ciel! s'écria-t-il. J'ai oublié... Kara a téléphoné pendant votre absence. Je devais vous transmettre le message suivant: « quelques mois avant le mariage ». C'est tout. Cela signifie-t-il quelque chose pour vous?

— Hélas, oui, cela signifie beaucoup de choses, fit Madeline, le cœur serré.

En fait, ses pires craintes se vérifiaient. Une rage subite contre Bill la poussait à tout révéler à Adam. D'un mouvement brusque, la jeune femme se leva, alla prendre un dossier sur son bureau.

— Vous pourrez le consulter plus tard, déclara-t-elle, mais en gros il contient les renseignements au sujet de votre mystérieuse société. Il s'agit de la *Société Williams* qui appartient à Bill McCrory et à trois de ses amis.

Cette déclaration procura visiblement un choc à Adam.

— Mais... mais, c'est invraisemblable! s'exclama-t-il, interloqué. Pour quelle raison Bill s'approprierait-il tous ces terrains? Et pourquoi se cacherait-il derrière une société?

— Vous ne devinez donc pas la réponse? Pourtant c'est cela même dont vous m'accusiez.

— Vous voulez dire que... qu'il projette de construire une résidence. En attendant, il dissimule ses intentions jusqu'à ce qu'il ait fini d'acquérir les terres au prix le plus bas?

Madeline acquiesça d'un signe.

Durant un moment, Adam réfléchit. Intensément. Quoi d'étonnant à ce qu'il soit sceptique? Il ne connaissait pas Bill sous son véritable jour.

— Impossible! déclara-t-il enfin. D'abord, s'il souhaitait réellement construire ici, il ne se serait pas donné tant de mal pour m'y installer. Ensuite, pour réaliser un projet de village de loisirs, il lui faut acheter des terrains au bord du lac. Et, d'après votre plan, la *Société Williams* n'en possède aucun.

— Tout juste! D'ailleurs, ils n'en possèderont jamais tant que je resterai à Willow Shores.

— Que comptez-vous faire pour les en empêcher?

— Ne rien vendre, tout simplement. Le rivage du lac m'appartient, Adam, jusque dans ses moindres recoins.

Surpris, il se pencha en avant.

— Depuis quand? insista-t-il. Le lac est entouré de camps de vacances et de colonies!

— Depuis une éternité. Les Richardson ont toujours tenu à préserver ce site. Chaque fois qu'un riverain vendait sa propriété, ils l'achetaient. Tant et si bien que maintenant le domaine familial englobe le lac.

— Etes-vous l'unique descendante des Richardson?

— Oui, leur unique héritière aussi.

Encore incrédule, Adam s'enquit:

— Et les camps de vacances?

— Mon grand-père estimait dommage que ces magnifiques espaces restent inoccupés. Voilà pourquoi il a accordé des baux à long terme à des associations qui s'engageaient à respecter la nature.

— Bill est-il au courant de tout cela?

— Oui. Il sait aussi que les baux expirent l'année prochaine.

Adam pâlit, serra les dents. Puis sa colère éclata.

— Que le diable l'emporte! Il m'a berné depuis le début. En tout cas, le message de Kara prend toute sa signification maintenant alors que je l'avais trouvé obscur! Apparemment, Bill a commencé à acquérir des droits sur les terres quelques mois avant votre mariage?

— Exactement.

— Il n'a rien laissé au hasard, n'est-ce pas? D'abord, il escomptait obtenir la jouissance du lac grâce à sa chère belle-fille. Malheureusement pour lui, vous avez divorcé. Alors, il a eu l'idée de se servir de moi. Si Ed acceptait de léguer la ferme à l'université, vous seriez tentée de vendre le reste du domaine lors de l'expiration des baux. Dans le cas contraire, il espérait que j'arriverais à vous dégoûter de vivre ici. Il a même eu la chance que la métairie prenne feu. Le fait que j'habitais sous votre toit ne pouvait que vous rendre l'existence encore plus difficile — mais là, ses prévisions se sont révélées fausses.

Madeline hésita. Ferait-elle part à Adam de ses doutes sur la « chance » de Bill à propos de l'incendie? Non, il avait été suffisamment échaudé pour l'instant!

— Seigneur, fit-il accablé. Quand je pense à tout le mal qu'il me disait sur vous! Et moi qui mordais à l'hameçon... J'imaginais qu'il vous haïssait parce que vous étiez responsable de la mort de son fils.

— Vous n'aviez aucune raison de ne pas le croire.

— En effet, puisque je ne me posais aucune question. Une seule chose m'importait: mes cours. Savez-vous pourquoi il est revenu dans la région? Au cas où vous auriez essayé de me renvoyer, il était prêt à dresser les gens de Rockland et des alentours contre vous, à soutenir que vous ne respectiez pas les volontés de votre oncle...

Le poing d'Adam s'abattit sur le bureau. Avec un juron étouffé, il s'exclama:

— Comment ai-je pu être stupide à ce point?

— Il n'est pas stupide d'avoir confiance en ses amis. Moi aussi, j'ai confiance en Kara.

— Ce n'est pas la même chose! J'ai agi comme un gamin. Vous deviez me soupçonner d'être de mèche avec Bill, dans cette affaire... et comment vous le reprocher?

Baissant la tête, Madeline confia:

— Je refusais de l'admettre, mais c'était difficile... surtout au début. Je ne savais que penser.

Bourrelé de remords, il revint vers elle, l'enlaça tendrement.

— Vous aviez une arme contre Bill. Pourquoi ne l'avez-vous pas utilisée plus tôt? Cela m'étonne, Madeline...

Elle respira son odeur, un mélange grisant de tabac et d'eau de toilette poivrée.

— Je ne tenais pas à vous faire de la peine en discréditant votre ami, expliqua-t-elle d'une petite voix.

— Maintenant je comprends que Bill n'a jamais été un véritable ami pour moi. Il m'a aidé à une époque où j'étais déprimé, effondré. Je lui en garde une grande reconnaissance.

Il marqua une pause avant de poursuivre:

— Il ne m'est pas facile d'aborder ce sujet... mais je veux que vous sachiez.

— Non! cria-t-elle. Je ne veux pas savoir. Je veux pas recevoir vos confidences... parce que je suis incapable de vous rendre la pareille.

— Puisque vous refusez de m'écouter, comment pourrai-je vous prouver ma bonne foi?

Madeline s'approcha de la fenêtre, s'absorba dans la contemplation du paysage.

— Adam, lorsque je vous ai envoyé chercher Brandy, j'avais oublié que mes papiers se trouvaient sur le bureau. En en prenant conscience, je me suis affolée. Devinez-vous pourquoi?

— Non.

— Eh bien, je craignais que vous m'accusiez de mensonge. A la lecture de ces documents, vous pouviez penser que je projetais de lotir Willow Shores.

A pas lents, il vint la rejoindre, posa ses mains sur ses épaules et répondit:

— C'est bizarre, cela ne m'a pas traversé l'esprit!

— Je l'ai remarqué, fit-elle en se retournant. Et cela m'a touchée plus que je ne saurais l'exprimer.

Comme elle se mordait les lèvres pour retenir ses larmes, Adam secoua la tête.

— Vous n'allez tout de même pas vous mettre à pleurer! Pour une fois que j'agis correctement à votre égard, ce serait le comble!

Avec un pauvre sourire, elle pressa ses mains contre ses paupières, respira profondément.

— Voilà, annonça-t-elle enfin. Mes yeux sont secs. Alors, prêt pour notre promenade?

— Si cela ne tenait qu'à moi, nous ferions bien autre chose... mais je suis votre humble serviteur...

Brandy sur leurs talons, ils se dirigèrent vers la métairie pour surveiller l'avancement des travaux. Les ouvriers avaient déjà accompli du bon travail, observa Madeline, presque déçue. D'ici quelques semaines, les réparations seraient achevées et Adam pourrait s'installer dans les locaux remis à neuf.

Ensuite, ils longèrent une partie des champs. Avec enthousiasme, Adam exposa en détail ses projets et ses méthodes pour améliorer les rendements.

Quand ils atteignirent l'ancienne grange, la jeune femme caressa le mur de pierre couvert de mousse.

— Quel bonheur de voir bientôt revivre ce lieu! s'écria-t-elle. Malgré plusieurs années d'interruption, ce sera le quatre-vingt-quinzième effeuillage du maïs.

— Le *quoi*?

— Enfin, Adam, personne dans le pays ne vous a expliqué nos traditions?

— Non, je l'avoue. Apparemment on ne peut guère aborder ce sujet sans faire allusion aux Richardson. Comme les gens me prennent pour un ami de Bill McCrory, ils évitent de m'en parler.

— Je comprends, fit Madeline. Venez...

Sans y penser, elle lui prit la main et le guida vers l'intérieur de la grange. Un frisson la parcourut au souvenir de la scène qui s'y était récemment déroulée. Mais tant de choses s'étaient passées depuis...

— Cet endroit évoque pour moi les joyeuses soirées d'autrefois. Voilà pourquoi je compte y organiser la fête du maïs en septembre prochain.

— Les gens effeuillent-ils encore le maïs à la main, par ici? s'étonna Adam.

— Bien sûr que non! D'ailleurs, nous avons beaucoup de difficulté à rassembler une quantité suffisante d'épis entiers après la moisson.

— Ah bon? Ainsi, vous lancez toute cette affaire sans aucun but pratique.

— Le but est surtout de s'amuser. Le jeu des épis rouges est fait pour cela d'ailleurs.

— Le jeu des épis rouges! Décidément, j'en apprends, aujourd'hui! En quoi consiste-t-il?

— Eh bien voilà, on mélange des épis de maïs rouges aux épis normaux. Pendant l'effeuillage, celui qui en découvre un gagne le droit d'embrasser la personne de son choix.

— Hum, j'ai l'impression que ce divertissement me plairait.

— Quand j'étais petite, je l'adorais, avoua Madeline. En revanche, en grandissant, je m'attristais de voir que certains n'étaient jamais choisis.

— Je parie que vous ne faisiez pas partie de ceux-là! A mon avis, vous deviez être la plus jolie fille de la soirée.

Les joues de Madeline s'empourprèrent.

— Merci, mais vous vous trompez! Du reste, je me mêlais rarement à ce jeu... Gordon ne le souhaitait pas.

— Vous conformiez-vous toujours à sa volonté?

— J'essayais. Cela vous surprend peut-être, mais c'est la stricte vérité.

Un soupir douloureux lui échappa.

— Parfois, j'échouais, acheva-t-elle. Il était terriblement jaloux, vous savez.

La jeune femme s'interrompit, confuse. Une fois de plus, elle se livrait trop facilement à Adam.

— Si vous étiez ma femme, moi aussi je serais jaloux, déclara-t-il. Vous êtes une femme extrêmement séduisante, Madeline. Vous devez avoir une foule d'admirateurs. Dans ces conditions, n'est-il pas naturel qu'un mari s'inquiète ?

— Vous me flattez, mais tous ces hommes à mes pieds ne sont que le fruit de votre imagination. Et même s'ils existaient, cela ne justifierait pas la jalousie — à moins que je réponde à leurs avances, évidemment.

— D'accord, mais la jalousie ne se raisonne pas. Vous auriez dû vous réjouir d'inspirer l'instinct protecteur de Gordon.

— Pour moi, la jalousie n'a été qu'une expérience emplie d'amertume. Elle a gâché ma vie.

L'encerclant de ses bras, il l'attira contre lui.

— Ne perdons pas notre temps à en discuter dans ce cas.

Sur ces mots, il lui frôla le front d'un léger baiser. Durant une seconde, Madeline faillit céder à son impulsion, glisser ses mains autour de son cou, s'offrir à ses caresses... Et puis, les implications des paroles d'Adam la frappèrent soudain. La jeune femme recula, s'adossa contre les pierres froides du mur.

Gordon justifiait son comportement avec les mêmes arguments. Il estimait normal qu'un homme protège sa compagne. Mais il avait poussé le zèle si loin qu'il avait détruit leur mariage !

Quelle serait l'attitude d'Adam s'il se mettait à la considérer comme « sa » femme? A plusieurs reprises, il avait manifesté une telle véhémence... Non, elle ne pouvait pas se permettre une deuxième erreur dans sa vie!

Doucement, Adam caressa sa nuque.

— A quoi pensez-vous, Madeline? Qu'ai-je encore dit pour réveiller vos hantises?

Mais la jeune femme ne répondit pas.

Ils revinrent en silence jusqu'à la maison. Au moment de se séparer, Adam lui saisit les mains et s'enquit d'un air déçu:

— Pourquoi refusez-vous mon aide?

Elle déposa un baiser sur le bout de ses doigts et rétorqua:

— Sans vous en rendre compte, vous m'avez déjà beaucoup aidée. Merci... et bonne nuit.

D'un signe, elle appela Brandy qui bondit pour la précéder dans l'escalier.

Quand la porte se referma sur Adam, la jeune femme laissa couler ses larmes. Non, personne ne pouvait l'aider, à part elle-même...

Mais comment vaincre sa propre peur?

11.

Cette nuit-là, Madeline renonça à dormir. A quoi bon? Trop de fantômes hanteraient son sommeil. Trop de questions se poseraient: était-elle encore capable d'aimer un homme? Et dans ce cas, cet homme s'appelait-il Adam Crawford?

Sa tension était telle qu'elle avait l'impression de suffoquer. Que faire? Refuser cet amour que lui offrait Adam? A cette perspective, un sentiment de désolation l'envahissait.

Ah, si seulement elle pouvait ne plus penser, ne plus rien éprouver! Dire qu'elle était venue à Willow Shores pour y retrouver la paix...

Incapable de rester dans son lit une minute de plus, la jeune femme sortit dans l'espoir qu'une promenade la calmerait. D'instinct, ses pas la conduisirent vers le débarcadère.

Quelle beauté, quelle perfection! La surface du lac, que pas une ride n'altérait, reflétait des millions d'étoiles. Le clair de lune argentait les feuilles des arbres dont les silhouettes se découpaient sur le rivage.

D'abord, Madeline s'imprégna de la beauté de ce spectacle si majestueux et si serein mais l'apaisement qu'elle cherchait ne vint pas. Ce soir, la jeune femme était trop tourmentée pour se laisser gagner par le calme ambiant.

En hâte, Madeline se débarrassa de son tee-shirt et de son short, se coula sans bruit dans l'eau fraîche. Longuement, elle nagea, jusqu'à ce que ses muscles endoloris crient grâce. Alors, elle regagna la rive, épuisée, s'accrocha au débarcadère, se reposa un peu avant de rassembler assez de courage pour se hisser sur les planches.

Au bout d'un moment, un bruissement l'alerta. Sortant des taillis, une biche s'avança sur la plage, inclina la tête pour boire. Puis, le gracieux animal s'éloigna de nouveau, son ombre légère dansant le long du lac...

Au milieu du sentier, Adam s'immobilisa, les yeux fixés sur la biche qui se désaltérait.

Comme il n'arrivait pas à dormir, il avait plié son duvet et s'était dirigé vers le lac. Peut-être le sommeil viendrait-il plus facilement le visiter en plein air.

Tout à coup, un clapotis le fit tressaillir. Adam tourna la tête et aperçut Madeline qui sortait de l'eau. Hypnotisé, il la regarda s'ébrouer dans un jaillissement de gouttelettes.

Après avoir jeté un coup d'œil autour d'elle, la

jeune femme dégrafa son soutien-gorge. Manifestement, elle se croyait seule. La décence commandait à Adam de s'en aller. Mais comment fuir un aussi charmant tableau ?

Ensuite, elle enfila son tee-shirt et son short, tordit ses cheveux. Puis, tenant ses sous-vêtements mouillés à la main, Madeline traversa le débarcadère et s'allongea sur un banc.

Adam hésita. Mieux valait s'esquiver discrètement... s'il était raisonnable. Ce soir pourtant, il était prêt à commettre une folie...

Une seconde plus tard, il s'approchait d'elle.

Curieusement, Madeline ne s'étonna pas de le voir apparaître. Adam occupait tellement ses pensées qu'elle avait l'impression de ne l'avoir jamais quitté de la soirée.

— Vous vous promenez bien tard ! lança-t-elle.

— Je pourrais vous retourner la remarque.

— Qu'aviez-vous ? s'enquit-elle, le cœur battant.

— Impossible de dormir. J'en avais assez, j'ai pris mon sac de couchage dans l'intention de changer de décor.

— Vous tombez bien ! Ce soir, la lune brille particulièrement. Sinon il est rare qu'on puisse à cette heure de la nuit distinguer tant de détails du paysage.

D'un geste machinal, Adam ébouriffa ses cheveux. Quelques aiguilles de pin s'éparpillèrent autour de lui. Soupçonneuse, Madeline l'étudia.

— Depuis combien de temps m'observez-vous ? s'enquit-elle. Je n'ai pas l'habitude de donner des spectacles gratuits... excepté pour des causes dignes d'intérêt.

Adam se contenta de sourire et riposta :

— De deux choses l'une, ou bien j'ai eu de la chance, ou bien je suis une cause digne du plus grand intérêt ! Tout dépend de la manière dont vous envisagez la situation.

— Je l'envisage comme une intrusion dans ma vie privée.

— Moi aussi, confessa-t-il en se penchant pour lui soulever le menton. Oui, je reconnais mes torts... mais vous étiez si belle au clair de lune. D'ailleurs, vous êtes toujours belle, que ce soit à la lumière du soleil ou à l'ombre du crépuscule. Quand vous êtes sortie de l'eau, votre corps était nimbé d'une lumière argentée. Peut-être êtes-vous une nymphe après tout...

Soudain, il tomba à genoux et enlaça la taille de la jeune femme.

— Oh, Madeline, je te désire tant, gémit-il.

Les doigts crispés sur les rebords du banc, elle se força à demeurer impassible.

— Non, il ne faut pas. Il est beaucoup trop tôt, Adam.

Comme s'il ne l'avait pas entendue, il pressa ses lèvres au creux de son bras, puis sa bouche explora ses épaules, sa nuque, son cou.

— Arrêtez ! implora-t-elle.

— Soit, mais prononce cette simple phrase : « Adam, je ne te désire pas ».

160

Comment aurait-elle pu seulement parler quand il la caressait avec autant de sensualité ? Madeline en avait le souffle coupé. Finalement, elle lui saisit le visage entre ses mains et le supplia :

— Adam, ce n'est pas cela que je désire.

Il s'écarta légèrement.

— Que voulez-vous, au juste ? Est-ce l'acte d'amour que vous refusez, ou bien est-ce *mon* amour ?

— Vous ne me connaissez pas... Je n'ai rien à vous offrir en échange de votre amour. Nous courons au-devant d'amères désillusions.

— Comment le savoir si nous n'essayons même pas ? Parfois, il faut avoir le courage de tenter le destin.

— Je l'ai fait, autrefois, et voyez ce que je suis devenue !

Elle laissa son regard errer sur le lac. Tout doucement, il lui effleura les cheveux. De longues minutes s'écoulèrent dans un silence teinté d'émotion.

— Vous aimiez vraiment Gordon, n'est-ce pas ? s'enquit-il enfin.

— Mmmm. Du moins, en avais-je la conviction...

A présent, les doigts d'Adam lui massaient la nuque, l'incitant à se détendre.

— Lui disait m'aimer. J'étais si heureuse de l'épouser. Et puis...

Madeline s'interrompit un instant avant de poursuivre d'une voix brisée :

— A partir du premier jour de notre mariage, il n'a cessé de me critiquer. J'avais beau m'appliquer, rien de ce que je faisais ne trouvait grâce à ses yeux.

La jeune femme frissonna, mal à l'aise. Voilà, de nouveau elle se confiait à Adam... quitte à le regretter plus tard !

— Restez avec moi cette nuit, murmura-t-il.

— Vous aviez promis de ne pas faire pression sur moi.

— C'est différent. A cause de mes questions indiscrètes, vous êtes triste maintenant. Etendons-nous côte à côte sous les étoiles, et laissez-moi vous consoler.

— Comment comptez-vous y parvenir ?

Tout en dépliant le sac de couchage sur les planches, il avoua :

— Hum... Eh bien, je pourrais toujours vous raconter des histoires drôles.

— Et si je n'ai pas le sens de l'humour ?

— Vous l'avez, Madeline. Je n'en doute pas un instant. Avant le lever du jour, je m'engage à vous faire rire aux éclats.

— Quel programme...

Il s'allongea à ses pieds, lui tendit la main.

— Raison de plus pour dire oui, rétorqua-t-il. Allons, Madeline, venez me rejoindre.

Le cœur battant, elle se leva et alla s'agenouiller près de lui.

— Ecoutez, Adam, si je suis votre suggestion, il est facile de deviner comment cela se terminera.

— A vous d'en décider. Je vous laisse entièrement libre.

162

Madeline savait déjà qu'elle accepterait ; la tentation était trop forte, la fascination qu'elle éprouvait pour lui trop grande... Vaincue, elle murmura :

— Je te déteste, Adam Crawford. Je déteste tes cheveux en bataille, ton sourire de petit garçon, tes yeux noisette. Je déteste ton corps magnifique, ta tendresse, ta sincérité. Je te déteste et te redoute en même temps... Et je ne peux plus me passer de toi !

Un sanglot la secoua et elle se laissa aller contre lui.

Au début, il se borna à la serrer dans ses bras, fort, tellement fort qu'elle sentait son cœur battre contre sa poitrine.

— Si tu avais tardé une seconde de plus, je me jetais dans le lac. Tu aurais eu un noyé sur la conscience.

— Désespéré à ce point ?

— Oui, petite sorcière.

L'enlaçant toujours fermement, il s'empara de sa bouche. Cette fois, elle s'offrit à lui sans résistance. Alanguie de plaisir, Madeline se détendit, s'enhardit même jusqu'à lui rendre ses caresses.

Au bout de quelques minutes, elle le repoussa et entreprit de retirer son tee-shirt. Sous le regard ébloui d'Adam, elle défit ensuite la ceinture de son short.

— Non, laisse-moi faire ! ordonna-t-il en emprisonnant ses doigts.

Quand elle s'étendit de nouveau, nue devant lui, il s'agenouilla.

— Dieu, que tu es belle ! murmura-t-il. Belle comme une déesse...

Avec vénération, il explora son corps du bout des lèvres, la soumettant à une divine et presque intolérable torture. A la fin, incapable de résister à l'appel de ses sens, Madeline gémit.

— Viens, je ne peux plus attendre.

Sans mot dire, il se leva, se débarrassa de son jean. Comme il la dominait de toute sa taille, la jeune femme le contempla, fascinée par la puissance de sa virilité.

— Je te veux, avoua-t-elle, en oubliant toute raison, les bras tendus vers lui.

Alors, il s'allongea sur elle, écarta doucement ses cheveux.

— Oh, Madeline, ma chérie... Fragile et généreuse, prête à te donner sans rien recevoir en échange. Mais, vois-tu, je ne suis pas égoïste... Si j'en crois tes confidences, tu n'as connu que des hommes égoïstes. Moi, je t'obligerai à connaître le plaisir... tout le plaisir que je serai capable de te faire éprouver. Et tu verras enfin que recevoir est aussi agréable que donner.

Il posa la tête contre sa poitrine et resta un long moment dans cette position, savourant l'intimité de ce contact. Puis, avec lenteur, il embrassa les pointes de ses seins qui se durcirent. Eperdue, Madeline sentait monter en elle un désir brûlant, violent qui appelait l'assouvissement.

Adam promena sa main sur sa taille et descendit plus bas, toujours plus bas. La jeune femme s'agrippa à lui et murmura :

164

— Non, Adam, arrête...

Sourd à ses prières, il continua sa voluptueuse exploration. La sentant au paroxysme de l'émoi, il souleva la tête.

— Tu t'obstines à répéter toujours la même chose. Détends-toi, ma chérie, laisse-toi aller et fais-moi confiance.

Sous le charme, elle s'abandonna à ses caresses.

Emu, il la contempla. Qu'elle était ravissante avec ses joues rosies et cet air alangui.

— A mon tour, décréta-t-elle.

Docile, il se laissa recoucher sur le dos. Et Madeline, en proie à une sorte de fièvre, partit à la découverte de ce corps si viril. Toute timidité envolée, elle laissa libre cours à son audace. Les yeux clos, Adam plongeait dans une sorte d'état second. Contre son gré, le désir s'exacerbait, devenait incontrôlable.

— Regarde-moi, ordonna Madeline.

Penchée sur lui, ses prunelles bleues obscurcies par le désir, elle lança:

— Impossible d'attendre plus longtemps... j'ai trop envie de toi!

Lorsqu'il se fondit en elle, Adam cria son nom. Selon un rythme aussi vieux que le monde, leurs hanches se soulevèrent, se rejoignirent dans un mouvement de flux et de reflux. Au comble de la félicité, Madeline dériva au fil d'un torrent impétueux... jusqu'à l'extase finale.

Dans un ultime transport, ils demeurèrent blottis l'un contre l'autre. Madeline percevait les battements du cœur d'Adam, sentait son souffle contre sa joue. Ainsi, voila ce qu'il souhaitait lui donner et ce qu'elle répugnait tant à recevoir ! Voilà à quoi sa vie pourrait ressembler si elle parvenait à oublier le passé.

Un rayon de lune fit briller les larmes qui perlaient à ses paupières.

— Oh, Adam, murmura-t-elle tout bas, si bas qu'il ne pouvait l'entendre. T'aimer serait si merveilleux... Je voudrais tellement croire que tu seras toujours aussi attentionné que cette nuit. S'il te plaît, sois patient et peut-être, peut-être un jour serons-nous heureux ensemble.

Pour la première fois depuis cinq ans, Madeline osait envisager un avenir de bonheur, un avenir où l'amour aurait sa place.

12.

A l'aube, Madeline fut réveillée par un baiser d'Adam. Elle s'étira paresseusement et marmonna :

— Tu es bien matinal ! Le soleil n'est pas encore levé.

— Pardon, mon ange, je ne voulais pas t'ennuyer.

— Ai-je l'air ennuyée ? Continue, je t'en prie.

— Oh, ce n'était qu'une petite mise en forme en vue de mon prochain cours, déclara-t-il avec un sourire ironique.

— Je vois. Pourrai-je m'inscrire, monsieur le professeur ?

— Si je comprends bien, tu ne regrettes pas ce qui s'est passé hier soir.

— Détrompe-toi, j'ai d'innombrables sujets de regret, au contraire.

Les sourcils froncés, Adam s'appuya sur un coude et la contempla avec consternation.

Cela te soulagerait peut-être de m'en parler, suggéra-t-il.

— J'en doute fort.

— S'il te plaît, Madeline!

— Bon, si tu y tiens... D'abord il y a mon dos tout courbatu qui me fait souffrir. Ensuite, je me suis aperçue que les moustiques avaient été très actifs, cette nuit et que mon type de peau leur plaît. Pour terminer, j'ai des crampes dans la jambe!

— Pauvre chérie, c'est affreux! commenta Adam en lui massant le mollet.

— Ah, l'amour! fit-elle en soupirant.

— Y a-t-il meilleur que l'amour?

— Non.

Ouvrant tout grand les bras, Madeline ordonna:

— Embrasse-moi.

— Très volontiers!

Sans se faire prier, Adam s'allongea sur elle et referma ses mains autour de son cou.

— Pour commencer, voilà pour te dire bonjour.

Ses lèvres se posèrent sur celles de Madeline, chaudes, caressantes.

— A présent, je vais guérir ces maux qui t'accablent.

Lentement, sa bouche descendit le long du corps de la jeune femme. Frémissante, elle gémit de plaisir.

— Maintenant que j'ai apaisé tes souffrances, je m'apprête à t'en procurer de nouvelles, annonça-t-il en lui mordillant le lobe de l'oreille.

Les doigts de Madeline s'enfoncèrent dans les

168

cheveux bruns d'Adam alors qu'elle tentait de lui soulever la tête.

— Aime-moi, murmura-t-elle.

— Patience! Chaque chose en son temps. Ce matin, je n'ai pas envie de me dépêcher.

Impuissante, elle renonça à discuter tandis qu'il la couvrait de baisers de plus en plus sensuels. Lorsqu'il la sentit enfin vibrante et prête à l'accueillir, il la fit sienne.

— Tu vois, Madeline, murmura-t-il, je n'ai jamais été capable de te faire perdre ton sang-froid. Mais avoue que je sais te rendre folle de désir.

En guise de réponse, elle cambra ses reins vers lui. Dans un vertige de volupté, ils s'abandonnèrent à la vague qui les transportait vers des rivages connus d'eux seuls.

Durant de longues minutes, ils demeurèrent enlacés, heureux et détendus. A la fin, Adam se souleva légèrement et la dévisagea.

— La lumière de l'aurore te sied à merveille, ma chérie.

— Hier soir, tu prétendais que c'était au clair de lune que j'étais le plus à mon avantage.

— C'est vrai aussi.

Il roula sur le côté et l'étudia avec ravissement.

— J'adore te regarder, tu sais. A propos, comment obtiens-tu ces jolis reflets dans tes cheveux?

Perplexe, elle le questionna du regard.

— Oui, ces reflets argentés, précisa-t-il.

Un sourire mélancolique échappa à Madeline.

— Ils sont tout à fait naturels et dus à un caprice de la nature. Je m'en serais volontiers passée.

D'un geste tendre, il écarta une mèche qui retombait sur le front de la jeune femme.

— La nature fait bien les choses, décréta-t-il. Tu me plais beaucoup ainsi.

— D'habitude j'entends plutôt dire: « Oh, comme vos cheveux ont une drôle de couleur! ».

— Allons donc, tu sais pertinemment que ta chevelure sombre, striée d'argent, et tes yeux bleu azur forment un ensemble des plus séduisants. As-tu déjà été comparée à une fée des neiges?

L'espace d'une seconde, Madeline demeura muette de stupéfaction. En effet, le plus célèbre de ses albums était intitulé: « La fée des neiges ». Adam se moquait d'elle, certainement!

— Pas très original, professeur, répliqua-t-elle d'un ton sec.

Comme il semblait un peu déconcerté, elle poursuivit:

— Merci tout de même du compliment. Quoi qu'il en soit, la fée des neiges commence à grelotter, toute nue dans la fraîcheur de l'aube. D'ailleurs, nous risquons d'être aperçus par des campeurs qui, comme chacun sait, sont debout aux aurores!

— Alors, il est trop tard. On nous a sans doute déjà repérés.

— Ce serait bien ma chance! s'exclama Madeline en enfilant précipitamment son tee-shirt. Moi qui m'efforce de rétablir ma réputation dans le pays.

— Dans ce cas, tu vas être déçue… parce que j'ai la ferme intention de te compromettre!

170

Secouant sa crinière ébouriffée, Madeline finit de se rhabiller.

— Mets ton jean et suis-moi, ordonna-t-elle. Je t'offre le petit déjeuner.

De retour à la maison, la jeune femme se précipita d'abord sous la douche, laissant Adam en compagnie de Brandy qui les accueillait avec des bonds frénétiques. Il s'amusa un moment avec la chienne avant de gagner son côté de la maison pour se changer. Déçue de le voir partir si vite, Brandy s'assit devant la porte et aboya en signe de protestation.

Lorsqu'il revint, le délicieux arôme du café flottait dans la cuisine.

— Je me sens capable de toutes les folies, aujourd'hui, pas toi? lança-t-il sur un ton enjoué.

— C'est déjà fait, il me semble, répondit-elle avec un tendre sourire.

— D'accord, mais sérieusement, Madeline, d'ici quelque temps je n'aurai plus autant de loisirs. Nous devrions en profiter.

— Bien entendu, nous en profiterons... à partir de ce soir. Tout à l'heure, j'ai rendez-vous en ville au sujet de la superbe résidence pour multimillionnaires que j'ai l'intention de construire au bord du lac. Je compte acheter du terrain pour une route.

— Ne remue pas le fer dans la plaie! Je ne me pardonnerai jamais d'avoir été aussi stupide.

Un silence s'installa. Madeline s'accouda au bar, les yeux rivés sur Adam.

— Tu n'as pas envie de m'interroger? murmura-t-elle, les yeux pétillants.

— Si... mais je n'ose pas.

— Oh, vas-y! Après tu te sentiras mieux.

— Je me sens déjà parfaitement bien, grâce à toi.

— Bon, alors n'en parlons plus.

Dissimulant son amusement, elle lui tourna le dos, s'affaira devant la cuisinière.

— Si tu imagines que je n'ai pas vu ton air réjoui, tu te trompes!

— Eh bien...

— Et puis zut, à la fin, s'exclama-t-il. Je te la pose, cette question: pourquoi achètes-tu un terrain pour une route puisque tu possèdes déjà la totalité du lac et que tu n'as pas l'intention de lotir?

— C'est un problème d'accès, fit-elle, le nez dans ses casseroles.

— Madeline!!!

Exaspéré, il s'approcha, l'air menaçant.

— Prends garde, ma vengeance pourrait être terrible.

Elle pivota sur ses talons, un sourire aux lèvres, ses yeux bleus étincelants de malice.

— Pitré! Attends, je vais tout t'expliquer.

— Je t'écoute.

— Plutôt que de perdre mon temps, je parlerai tout en préparant le petit déjeuner.

Adam regarda la jeune femme ouvrir un placard. Quel bonheur d'être avec elle! songea-t-il. Il aurait voulu que cette matinée dure éternellement... intime, détendue, avec le sourire de Madeline, l'amour qui lui réchauffait le cœur...

172

Enfin, elle déposa des ustensiles sur le bar et enchaîna :

— Tu vois où se trouve le camp de scouts, à l'est de la ferme ?

— Oui.

— Eh bien, ils s'apprêtent à déménager. On leur a offert un autre emplacement, plus au nord. Cette parcelle étant disponible, j'ai décidé de la louer à une école de musique qui y organisera des stages d'été.

Passant devant lui pour prendre un torchon, elle le frôla. Quel enivrant parfum de fleurs sauvages et d'essence de pin ! Il ne put s'empêcher de la retenir, d'enfouir sa tête dans la masse soyeuse de ses cheveux.

— Si tu continues, nous n'arriverons jamais à manger ! fit-elle en se dégageant.

— Bon, finis ton histoire.

— Quand j'étais enfant, je suivais des stages de musique et cela me plaisait énormément. Alors, j'ai pensé que ce serait amusant qu'on en organise à Willow Shores, ainsi je pourrais voir s'épanouir de jeunes talents et...

— Mais pourquoi une nouvelle route ?

— L'école de musique n'utilisera que la moitié du terrain occupé jusqu'ici par les scouts. En conséquence, j'ai décidé d'aménager la partie restante : la plage, ainsi qu'un jardin public.

— Cette opération sera-t-elle rentable ? s'enquit Adam, l'air dubitatif.

Elle lui jeta un coup d'œil perplexe.

— Que veux-tu dire? Je ne comprends pas.

— Penses-tu que les billets d'entrée te rapporteront autant que si tu louais la parcelle à un autre camp de vacances?

— Il ne s'agit pas d'une entreprise commerciale: l'entrée sera gratuite. Vois-tu, j'ai toujours regretté que les gens du pays ne puissent profiter de ce lac magnifique, si proche et pourtant inaccessible. Certes, ma famille souhaitait protéger le site, néanmoins j'estime qu'on est allé un peu trop loin dans ce sens.

— Conclusion, tu veux donner ce terrain à la ville, déclara Adam, de plus en plus étonné.

— Pas le terrain. Je le garde pour garantir qu'il ne soit jamais construit. En revanche, je leur accorderai le droit de l'utiliser. De toute façon, je prendrai à mon compte les frais d'installation.

Elle esquissa un sourire avant d'ajouter:

— Voilà l'explication. La parcelle en question n'a pas d'accès direct à la route principale. Je dois donc acheter une centaine de mètres de la propriété voisine. Ce vieux grigou de Clifford me réclame une somme exorbitante, conclut-elle en riant aux éclats.

Adam ne put dissimuler plus longtemps sa stupéfaction.

— Tu offres à ces gens un parc de loisirs, le vieux Clifford a le culot de t'extorquer une fortune, et cela te fait rire!

— Rassure-toi, je ne suis pas encore ruinée! Et il prend tant de plaisir à jouer à l'homme d'affaires rusé...

174

Tout en mettant un gateau à réchauffer dans le four, elle poursuivit :

— Attention, le jardin public doit rester un secret jusqu'à la fête du maïs. Hormis toi et mon notaire, personne n'est au courant. Surtout ne me gâche pas ma surprise !

— Madeline, je t'en supplie, fit Adam. Arrête une seconde de t'activer et regarde-moi.

— Voilà, je te regarde, Adam, et j'apprécie beaucoup le spectacle, riposta-t-elle, mutine. Mais pourquoi cet air de reproche ? N'approuverais-tu pas mon projet ?

Décontenancé, il se hâta de la rassurer.

— C'est un projet merveilleux, plein de générosité... Cependant, quelque chose m'échappe. D'abord, si tu révélais tes intentions à ton voisin, il te vendrait probablement le terrain à un prix raisonnable.

— Bien sûr, mais Clifford n'est pas riche. Il ne peut pas se permettre de perdre un centime de son patrimoine.

— Et toi, tu peux te permettre de perdre le montant du loyer.

Surprise, Madeline pencha la tête de côté.

— Le montant du loyer ? répéta-t-elle. Quel loyer... Ah, je vois ! Ecoute, ce n'est pas du tout ce que tu imagines. Les Richardson n'ont jamais loué les terres pour de l'argent. Ils accordaient des baux gratuits, comprends-tu ?

— Pourtant, tout à l'heure, tu disais que ces baux expirent l'année prochaine.

— Exact. J'ai déjà prévenu les occupants que je les renouvellerais. C'est d'ailleurs à cette occasion que les scouts m'ont appris leur intention de déménager.

— Soyons clairs: tu possèdes la totalité des terres autour de ce lac que tu prêtes gratuitement. En outre, tu te proposes d'aménager une plage et un jardin public à tes frais

— Oui, cela résume à peu près la situation, admit Madeline.

Déjà, elle se retournait. Il la força à le regarder de nouveau.

— Pourquoi? insista-t-il.

— Pourquoi? Tout simplement parce qu'il s'agit de *mon* héritage. Parce que cela s'est toujours passé ainsi et que je veux perpétuer les traditions familiales.

Dressée sur la pointe des pieds, elle lui embrassa le bout du nez.

— Et puis, il y a les déductions fiscales, bien entendu.

— Bien entendu, grommela-t-il. Tu sais que tu me rends fou, Madeline?

De guerre lasse, il la poussa vers le bar en soupirant.

— Allons, terminons les préparatifs du festin. En quoi puis-je t'aider?

Madeline parut un peu déçue. De toute évidence, elle espérait que la conversation se concluerait par un baiser passionné. Mais Adam avait la tête ailleurs, d'innombrables questions se posaient auxquelles il ne pouvait répondre.

176

Il souhaitait croire la jeune femme… En fait, il la croyait. Cependant, quelque chose le tracassait : Madeline vivait à Willow Shores sans ressources apparentes ; malgré cela, elle refusait de retirer un avantage financier de sa propriété. Et cette idée d'aménager une plage publique ! Sans aucun doute, ce projet généreux absorberait la totalité de ses revenus… Mais apparemment, elle ne s'en souciait guère.

Après le petit déjeuner, Madeline alla s'habiller pour son rendez-vous et Adam resta à la cuisine, buvant une dernière tasse de café. Le changement d'humeur de Madeline l'attristait. L'instant magique était passé… reviendrait-il jamais ?

Quand elle vint l'embrasser avant de sortir, son sourire était contraint, ses yeux bleus pleins d'interrogations muettes.

Après son départ, Adam se reprocha son manque de confiance. Il n'avait aucune raison valable de la soupçonner… cependant, un détail l'irritait : Madeline Richardson disposait de beaucoup d'argent, en tout cas son comportement permettait de le supposer. D'où provenaient ces fonds ? Il l'ignorait.

Certes, les Richardson étaient des gens fortunés. Mais, des années durant, ils avaient acquis toutes ces terres sans aucun bénéfice.

Si Madeline était si aisée, pourquoi habitait-elle seule dans cette ferme, sans employée de maison ? Une personne qui envisage d'offrir un pareil cadeau à ses concitoyens devrait avoir les moyens d'en engager plusieurs à son service !

Nul doute qu'il existait une explication toute simple. Madeline ne s'offusquerait peut-être même pas s'il l'interrogeait. Oui, mais voilà, elle tenait tant à ce qu'on lui fasse confiance! Ses questions risqueraient d'être mal interprétées. Pire, ne déciderait-elle pas de rompre? Cela, il ne le supporterait pas!

Un coup discret frappé à la porte l'interrompit dans ses réflexions. Adam alla ouvrir et découvrit Tim Galloway, l'air inquiet et troublé.

— Entre, mon garçon. Veux-tu un café?

— Non, merci.

— Tu me parais bizarre, ce matin, Tim...

— C'est que... je veux en avoir le cœur net. Selon vous, Mme Richardson va-t-elle enquêter au sujet de l'incendie?

— J'en doute. En tout cas, elle ne m'en a rien dit.

Soudain, Adam se remémora la terreur de l'adolescent, la veille, devant les flammes du barbecue.

— Aurait-elle une raison d'enquêter? reprit-il.

— Je... je ne sais pas. J'ai peur qu'on m'accuse.

— Pourquoi donc?

— J'étais de garde, cette nuit-là... mais je suis sorti quand même. A mon retour, il était trop tard, avoua Tim d'une voix mal assurée.

— Inutile de te mettre dans un tel état! Bien sûr, tu as eu tort de t'absenter, mais ce n'est pas un motif suffisant pour te faire porter la responsabilité de l'incendie. Au fait, pourquoi étais-tu sorti?

— Pour gagner de l'argent.

178

Aussitôt un soupçon naquit dans l'esprit d'Adam.

— Quelqu'un t'a payé pour abandonner ton poste ?

— Euh, non... pas exactement. En réalité, c'étaient deux autres garçons qui auraient dû être de garde, mais ils m'ont demandé de les remplacer. On leur avait proposé une forte somme pour aider à un déménagement. Comme ils offraient de me dédommager, j'ai accepté, acheva Tim.

— Qui employait ces garçons ?

— Je le sais maintenant. A l'époque, ils refusaient de me le révéler. Quoi qu'il en soit, cette nuit-là je faisais ma ronde lorsque j'ai aperçu une voiture inconnue stationnée devant la métairie. Au moment où je m'en approchais, Jack Sloan en est descendu.

— Sloan ! Le jardinier des McCrory ? s'exclama Adam, stupéfait.

— Lui-même. D'abord, il a paru étonné de me voir et m'a même reproché de l'espionner. Puis il a déclaré que je tombais à point nommé : il lui fallait quelqu'un pour décharger des sacs de terreau. Il cherchait un étudiant désireux de gagner cent dollars !

— Evidemment, tu as accepté ?

— Evidemment ! Je n'allais pas laisser passer une telle aubaine. Seulement au départ, Sloan s'est gardé de me dire que je devais effectuer le travail sur-le-champ. D'ailleurs, j'ai failli renoncer, et puis...

Tim tordit nerveusement sa casquette de base-ball.

— Je ne me suis pas absenté plus d'une heure, marmonna-t-il.

— A ton retour, la maison brûlait déjà?

— Oui. En voyant les flammes, j'ai cru rêver. J'étais comme paralysé. Au lieu de courir prévenir les pompiers, je n'ai pensé qu'à une chose: comment expliquer ma désertion. Si j'avais donné l'alerte plus tôt, il y aurait eu moins de dégâts.

— Tes remords sont compréhensibles, Tim, mais je ne vois toujours pas pourquoi on t'imputerait ce crime. Personne n'a évoqué d'autre cause que celle de l'accident.

Adam était loin d'être aussi convaincu qu'il le paraissait. A présent, son instinct lui soufflait qu'il ne s'agissait pas d'un accident.

Du reste, Tim vint renforcer cette opinion.

— Dieu sait que j'aimerais vous croire! s'exclama-t-il. Hélas, les coïncidences bizarres s'accumulent dans cette histoire. Et puis, je me suis toujours méfié de Sloan... Ne trouvez-vous pas étonnant que M. McCrory emploie un individu qui ressemble à un bandit?

C'était bien l'avis d'Adam, et il commençait à comprendre le mobile qui poussait McCrory à utiliser les services de ce louche personnage. Jusqu'où les déductions de Tim l'avaient-elles conduit? s'inquiéta-t-il soudain.

— Tu portes là une grave accusation, Tim. Une question reste en suspens: quel intérêt Sloan aurait-il eu à mettre le feu?

— Qui sait? Il est peut-être pyromane. Par la suite, j'ai su que c'était lui qui avait proposé le déménagement à mes deux camarades. Je suis allé l'interroger et il a eu le toupet de prétendre qu'il ne m'avait pas vu le soir de l'incendie! Soi-disant, il avait déchargé le terreau tout seul. J'ai gardé le silence jusqu'à aujourd'hui car je ne peux pas prouver qu'il ment.

— Voilà donc ce qui te tourmentait, ces derniers temps?

— En effet. Et puis, j'étais persuadé que Mme Richardson enquêterait sur l'incendie… et qu'on finirait par me soupçonner. Comment convaincre les gens de mon innocence alors que j'avais abandonné mon poste?

Tim regarda son professeur d'un air implorant et s'enquit:

— Que me conseillez-vous de faire?

— Pour commencer, va tout raconter à Mme Richardson. C'est à elle de décider la suite à donner à cette affaire.

— Non, pitié! Elle me croit déjà coupable. N'avez-vous pas saisi toutes ses allusions, hier soir?

— Tu as trop d'imagination, Tim. Tu as entendu ce que tu craignais d'entendre, c'est tout. Fais-moi confiance, je te jure que tu te sentiras mieux quand tu lui auras parlé.

— Je me sens déjà mieux de vous l'avoir avoué.

— Mais cela ne suffit pas. Elle a le droit de savoir.

Adam lui prit sa casquette des mains de peur qu'il ne la déforme irrémédiablement.

— Explique-moi ce qu'a fait Mme Richardson pour que tu la détestes autant ? poursuivit-il.

— Euh... rien.

— Je m'en doutais. Réfléchis, mon garçon, et demande-toi si tu n'es pas un peu injuste envers elle.

Le jeune homme haussa les épaules.

— Cela se pourrait, admit-il.

— Alors, tu continues à suivre le programme de cours ? questionna Adam en lui posant la casquette sur la tête.

— Je voudrais bien... à condition qu'elle le permette.

— Parfait ! Si c'est la seule chose qui te préoccupe, ne perdons pas de temps. Viens dans mon bureau, nous allons étudier le problème de ta bourse.

Madeline avait signé sans les lire les documents que Ted posait devant elle. Après, elle avait décliné son invitation à déjeuner. Madeline n'était pas d'humeur sociable.

A présent qu'elle se rapprochait de Willow Shores, la perspective de la soirée en compagnie d'Adam l'affolait de plus en plus. Insidieusement ses anciennes terreurs revenaient l'assaillir.

Pourtant, la matinée avait merveilleusement bien débuté. D'abord, sur le débarcadère, leurs étreintes au soleil levant, leur bonheur, leurs plaisanteries. Et puis, son revirement subit ! Dès qu'elle lui avait confié ses desseins, il s'était rembruni.

Son projet de jardin public lui déplaisait-il ? Après tout, la façon dont elle disposait de ses terres ne le regardait pas. S'imaginait-il qu'elle aurait dû lui demander la permission ?

Pour une fois qu'elle lui révélait un secret, il la récompensait bien mal.

Ses mains se crispèrent sur le volant. *Franchement, Madeline, il serait temps de te rendre à l'évidence : tu ne comprends rien à la psychologie masculine !*

Elle jouait de malchance. C'était toujours la même histoire ! Pourquoi les hommes qui l'attiraient le plus finissaient-ils par la rejeter ?

Le cœur serré, Madeline gara la Jaguar dans le garage, mais demeura assise à sa place. Ne lui restait-il aucun espoir d'aimer et d'être aimée ? Prendrait-elle toujours au tragique le moindre petit problème ? Si oui, mieux valait renoncer tout de suite au professeur Crawford. Mais était-elle capable de ce sacrifice ?

Soudain, un aboiement la fit sursauter. Brandy passa la tête par la vitre baissée, tout heureuse de revoir sa maîtresse.

— Voilà, j'arrive ! s'exclama Madeline en sortant de la Jaguar.

Accroupie devant la chienne, elle la caressa et soupira :

— Toi, au moins, tu m'apprécies, quoi que je dise ou que je fasse, c'est une consolation !

Dans sa joie Brandy sauta sur Madeline, avec tellement de vivacité qu'elle la déséquilibra. La jeune femme tenta de se retenir mais son pied glissa et elle tomba sur le côté, s'égratignant la main sur le sol en ciment.

— Oh, Brandy, regarde ce que tu as fait!

Quel gâchis! Son joli ensemble de jersey blanc, tout sale. Sans compter, l'écorchure de sa main qui lui provoquait de douloureux élancements.

— Couchée, Brandy! ordonna une voix énergique.

— Adam! Je... je ne t'avais pas entendu venir.

Comme il saisissait le collier de la chienne, Madeline se remit péniblement debout, sous le regard amusé d'Adam. Il l'observait, une lueur malicieuse au fond des yeux.

Dépitée, Madeline feignant la désinvolture, alla chercher son sac resté sur le siège de la Jaguar. Le talon de sa chaussure, tordu par sa chute, céda, et elle se rattrapa de justesse à la poignée de la portière. Il ne manquait plus que cela! se dit-elle, vexée.

Un toussotement discret lui fit relever la tête: Adam faisait une grimace pour s'empêcher de rire et il avait l'air tellement drôle qu'elle pouffa. Puis, soudain, le comique de la situation lui apparut et elle éclata de rire, imitée par Adam. Seule Brandy ne participa pas à leur hilarité et s'en alla, très digne.

Ecroulée contre la portière, Madeline se frotta les yeux.

— C'était bien la peine de me faire belle! parvint-elle enfin à déclarer.

— Je te trouve très belle.

— Tu devrais mettre des lunettes!

— Inutile, ce que je vois me plaît infiniment. Tu es si belle que les mots me manquent...

— Oh, je t'en prie!

— Arrête, Madeline!

— Qu'est-ce qui ne va pas? s'enquit-elle, étonnée par la gravité subite de son intonation.

Adam poussa un profond soupir.

— Entre dans la voiture. J'ai à te parler et je préfère que mes élèves ne t'aperçoivent pas dans cet état. Ils s'imagineraient Dieu sait quelle bêtise!

Plus morte que vive, Madeline se glissa sur le siège arrière de la Jaguar. Immobile, elle attendit en silence.

— Regarde-moi, Madeline.

Elle obéit.

— Je voudrais te poser une question sérieuse et je te demande une parfaite franchise.

D'un geste tendre, il écarta les mèches en désordre sur son front, lui prit les mains.

— De quoi s'agit-il? murmura-t-elle.

— Tu vas me répondre par oui ou par non...

Il s'interrompit un instant avant de poursuivre:

— Ecoute, Madeline, j'ai remarqué que tu n'es jamais disposée à accepter mes compliments. Dis-moi la vérité, te considères-tu comme une femme séduisante et désirable?

— Moi qui m'attendais à une question sérieuse!

— Elle est très sérieuse, affirma-t-il gravement. Je veux savoir comment tu te juges toi-même.

Impossible de lui fournir la réponse simple qu'il souhaitait, ce serait déloyal.

— Il faut que je t'explique, Adam.

Les sourcils froncés, il protesta :

— Tu vas encore user de faux-fuyants !

— D'accord, pas de faux-fuyants. Dans ce cas, la réponse est oui. Oui, je me considère comme une femme séduisante. Je suis également intelligente et pleine de talent. Mais cela ne te dit pas ce que tu veux réellement savoir. En fait, ta question est sans objet.

Il s'apprêtait à l'interrompre mais elle l'arrêta en lui prenant la main.

— Si je parais insensible à tes compliments, c'est précisément parce que je suis sûre de moi. Et puis, ce n'est pas ton opinion sur mon physique qui m'importe, bien au contraire !

— Aurais-tu honte de ce que tu es ? Est-ce la raison pour laquelle tu as si peur de décevoir les autres ?

— Non, je n'ai pas honte de moi. Je sais que la plupart des gens apprécient mes qualités. Mais toi, peut-être ne les apprécies-tu pas ? Suis-je vraiment capable de te rendre heureux ?

— Tu n'es pas responsable de mon bonheur, Madeline. Je suis heureux avec toi parce que tu es une personne sensationnelle.

— Ah, si seulement les choses étaient aussi simples ! s'exclama la jeune femme.

Elle se pencha en avant, les coudes appuyés sur les genoux et ajouta :

— Au fait, quel est le but de cette conversation? Qu'est-ce qui te tracasse?

— Moi? Rien du tout.

— Tu triches! Tout à l'heure, j'ai joué le jeu. Alors, aie au moins la franchise de reconnaître que tu refuses de répondre.

— En fait, j'aurais des milliers de questions à te poser, mais je crains toujours que tu les éludes. C'est tellement frustrant!

— Eh oui, convint-elle. Il m'est pénible d'aborder certains sujets, pour le moment du moins. Un jour, peut-être...

Elle marqua une pause, lui embrassa la joue puis acheva:

— J'essaie, tu sais. J'étais persuadée de ne plus jamais en avoir envie, mais j'essaie.

— Je sais, Madeline, murmura-t-il en l'attirant dans ses bras et en la serrant à l'étouffer.

De longues minutes s'écoulèrent avant qu'il relâche son étreinte. Une lueur de désir brillait dans les yeux de la jeune femme.

— Me permets-tu une dernière question? lança-t-il.

— Hum... Laquelle?

— As-tu déjà fait l'amour sur le siège arrière d'une voiture?

— Monsieur Crawford, cette question n'appelle aucun commentaire de ma part!

— Alors, je vais la tourner autrement: envisagerais-tu ce genre d'expérience?

— Ma foi, si cela te fait plaisir... Mais je te

signale que la maison comporte sept chambres à coucher, pas une de moins!

— Et ton penchant pour l'aventure?

— J'ai dû le perdre cette nuit sur le débarcadère. Par contre, je ne risque pas d'oublier mon dos endolori!

— Dans ce cas, nous choisirons le confort, déclara-t-il, résigné, en l'entraînant dans la maison.

Adam nageait dans le bonheur. Dire que pas plus tard que vingt-quatre heures auparavant, il était assis à ce même endroit du patio, à rêver de prendre Madeline dans ses bras! Et ce soir, elle était là, étendue à côté du lui, la tête nichée au creux de son épaule. Etrangement, les étoiles lui paraissaient plus brillantes que la veille et le chant des grillons plus harmonieux.

Bien à regret, il devait interrompre cet instant de félicité. Adam voulait en effet entretenir la jeune femme de l'incendie avant que Tim ait l'occasion de le faire.

— Cet après-midi, j'ai discuté avec l'entrepreneur qui exécute les travaux de la métairie, déclara-t-il.

— Ah? Et quel est le problème?

— A mon avis, l'unique problème concerne les frais. Qui va payer?

Madeline se raidit. Cette réaction confirma ses soupçons.

— Pourquoi n'as-tu pas rempli un dossier pour l'assurance?

188

— Parce que je ne souhaitais pas qu'une armée d'experts envahissent les lieux. De toute manière, j'avais l'intention de réaménager la métairie, répondit-elle.

— Ne serait-ce pas plutôt parce que tu devinais qu'il s'agissait d'un acte criminel?

— J'avoue que cette idée m'a traversé l'esprit, murmura-t-elle en secouant la tête. Et toi, qu'en penses-tu?

— J'en ai la certitude. Ce matin, une conversation avec l'un de mes élèves m'a beaucoup éclairé.

Madeline ébaucha un sourire.

— Tim Galloway, je présume? Etant donné son comportement bizarre devant les flammes géantes de ton barbecue...

— Ce n'est pas lui qui...

— Rassure-toi, je connais Bill. Il ne chargerait jamais un adolescent d'une mission de confiance.

— Quelles poursuites envisages-tu contre lui?

— Aucune.

— Pourquoi?

— Que puis-je faire? Il n'y a pas de preuve. D'ailleurs, même si j'en possédais, je ne tiens pas à reprendre les hostilités entre les Richardson et les McCrory. Non merci, les scandales, j'en ai assez!

— Et l'argent que les réparations vont te coûter, y as-tu songé?

— Je paierais volontiers dix fois plus cher pour ne pas devoir confronter à nouveau les McCrory.

Madeline lui prit la main et il vit son expression désemparée.

— Adam, ne sois pas fâché! Je sais à quel point il t'est difficile de comprendre mon attitude mais, crois-moi, c'est la seule que je puisse adopter dans les circonstances présentes.

Il lui embrassa le front avant de répondre en souriant:

— D'accord, je ne t'ennuierai plus avec cette histoire. En revanche, je réprouve la façon dont tu jettes l'argent par les fenêtres. Quand je pense à certains de mes élèves qui auraient tant besoin d'une bourse!

— Ah, ah! Voilà donc l'explication de tes remontrances! Ecoute, je vais voir comment remédier à cette situation. En contrepartie, cesseras-tu de bouder? Assez parlé, maintenant... J'aimerais que tu me donnes une de tes leçons *très* particulières...

13.

Le samedi matin, jour du concert au bénéfice de l'hôpital, la sonnerie du téléphone réveilla Madeline. D'abord elle regarda autour d'elle, étonnée de se trouver dans son propre lit. En effet, depuis deux semaines, elle passait des nuits d'extase entre les bras d'Adam. Mais, la veille, il avait dû se rendre à Madison et Madeline avait réintégré sa chambre.

Pensant que l'appel provenait de lui, elle étendit la main, décrocha le combiné et murmura d'une voix sensuelle :

— Bonjour, chéri... tu me manques terriblement.

— Ah bon ? Toi aussi, tu me manques, mon trésor ! fit une voix ironique.

— Denny, espèce d'idiot ! Tu sais pertinemment que je déteste les coups de téléphone au petit jour.

— Ma chère, il est huit heures. Et puis, j'ai l'impression que tu t'attendais à entendre quelqu'un d'autre...

Heureusement que Denny ne pouvait pas la voir rougir! se dit Madeline avec soulagement.

— Oh, je rêvais, marmonna-t-elle.

— Drôle de rêve!

— Ecoute, mon vieux, si tu as quelque chose à me dire, dis-le tout de suite. Sinon, je raccroche.

— Bon, bon, calme-toi. Voilà, j'ai une mauvaise nouvelle à t'annoncer. Je suis encore à New York et je n'arriverai que deux heures avant le concert. Et il me faudra repartir dès le spectacle terminé.

— Alors, je ne te verrai pas du tout? Nous qui devions déjeuner ensemble!

— Ne pourrais-tu venir sur place? Cela nous laisserait le temps de bavarder en attendant mon entrée en scène.

— Non, Denny. Tu sais combien je serais heureuse de te revoir... Cela fait si longtemps! Mais je préfère ne pas me montrer. Je suis trop connue dans la région.

— Tu ne rencontreras personne dans les coulisses, à part les membres de notre ancien groupe... qui seraient ravis de te saluer.

— Tu oublies que j'ai assisté aux répétitions à Chicago.

Madeline réfléchit une seconde avant d'ajouter:

— J'aimerais venir, je t'assure. Hélas, c'est impossible.

— S'il te plaît, Madeline. Je me trouve à un tournant important de ma carrière et j'aurais besoin de tes conseils.

— Ne pourrions-nous en discuter au bout du fil?

— Non, j'ai quelque chose à te montrer.

Madeline hésitait. Le concert constituait l'événement majeur de la saison. Le public viendrait nombreux. Il y aurait la presse, naturellement. En outre, elle ne tenait pas à écouter son ancien groupe jouer sans elle. Les répétitions lui avaient assez coûté! Mais il n'était pas dans les habitudes de Denny de solliciter des faveurs.

— Bon, dans ce cas... Rendez-vous à cinq heures dans les coulisses. Je compte sur toi pour qu'il n'y ait pas de journalistes embusqués derrière chaque plante verte.

— Promis, juré! Je m'en assurerai personnellement. Entre par la porte côté ouest. Oh, excuse-moi, il faut que je raccroche... A ce soir!

Un peu étonnée, Madeline contempla le combiné muet. Pourquoi cette soudaine précipitation? se demanda-t-elle. Denny avait-il eu peur qu'elle se ravise?

Quelques minutes plus tard, Madeline chantonnait sous la douche un de ses derniers succès. Un sourire nostalgique flottait sur ses lèvres. Ces deux dernières semaines s'étaient écoulées dans un enchantement. Tendre, charmant, amoureux, Adam la comblait de prévenances. Et il ne lui posait plus de questions embarrassantes; sans doute attendait-il qu'elle accepte d'elle-même d'évoquer son passé.

Ils ne se séparaient presque jamais, à part deux heures chaque matin pendant lesquelles Adam s'occupait de ses élèves tandis que Madeline mettait au point l'organisation de la fête du maïs. A son corps défendant, la jeune femme ne pouvait plus se passer du séduisant professeur. Inutile de se leurrer davantage, elle était éperdument amoureuse d'Adam Crawford !

Un soupir lui échappa. Tout l'amour d'Adam n'avait pas réussi à la guérir de ses craintes. Elle avait toujours peur de ce que lui réservait l'avenir...

C'était un problème qu'il lui faudrait résoudre... plus tard, décida-t-elle soudain. Pour le moment, elle se contenterait de résoudre ceux de Denny. Au fait, pourquoi réclamait-il son aide ? Apparemment, il remportait un immense succès avec le nouveau groupe qu'il avait créé.

Au nom de leur vieille amitié, et malgré ses réticences, Madeline avait accepté de se rendre sur le lieu du concert. Il lui faudrait passer inaperçue puis partir avant le début du show.

Adam gara la camionnette dans la grange et se dirigea vers la maison. D'un coup d'œil inquiet, il consulta sa montre. Cinq heures précises. Ouf, la Jaguar n'était pas dans le garage ! Il aurait peut-être le temps de se changer et de repartir avant le retour de Madeline. Ainsi, il n'aurait pas d'explication à lui fournir !

En effet, Bill McCrory l'avait invité au concert donné en faveur de l'hôpital. Adam avait promis d'y assister pour une raison très simple : il comptait saisir cette occasion pour aborder avec Bill certains détails récemment dévoilés par Madeline.

Comme il finissait de s'habiller, il regarda machinalement par la fenêtre. Tiens, que faisait donc ce break devant la porte de la cuisine? Intrigué, il se pencha, aperçut l'intérieur du véhicule où s'entassaient des instruments de musique, des objets appartenant à Madeline... Se préparait-elle à partir? Sans l'en informer? Non, impossible!

Sans plus réfléchir, il courut à la cuisine.

— Enfin, Madeline, que se passe-t-il?

Dans sa précipitation, il faillit renverser un inconnu qui portait la guitare de Madeline dans une main et une malette dans l'autre. L'homme parut déconcerté, puis esquissa un sourire.

— Eh bien, nous voilà pris la main dans le sac! ironisa-t-il.

— En effet, répondit l'autre, plutôt amusé.

Fronçant les sourcils, Adam étudia l'intrus. Silhouette élégante, regard vif, costume bien coupé... Non, il ne ressemblait pas à un cambrioleur!

— Qui diable êtes-vous et que signifie cette intrusion? s'enquit-il.

— Je m'appelle Ted Ruffin, déclara l'homme, la main tendue. Professeur Crawford, je présume?

Mais Adam ne prit pas la peine de lui serrer la main. Une idée venait de germer dans son esprit. Profitant de son absence, Madeline se préparait à filer à l'anglaise en compagnie de cet individu...

— Je comprends votre étonnement, poursuivit Ted, toujours souriant. Patientez une minute, ma fiancée vous expliquera toute l'affaire. Après tout, c'est elle qui en a eu l'idée!

— Votre *fiancée* ! Depuis quand ? s'enquit Adam, l'air menaçant.

Son interlocuteur parut abasourdi. Il s'apprêtait à répondre quand Kara se précipita dans la pièce, un paquet de vêtements sous le bras.

— Tu ne devineras jamais où je les ai trouvés... commença-t-elle.

Puis, elle vit Adam et pâlit. Lui enlaçant la taille, Ted enchaîna :

— Chérie, j'ai l'impression que monsieur Crawford aimerait savoir ce qui se passe.

— Mais il va tout gâcher !

— J'ai peur que nous n'ayons pas le choix. A son expression, je soupçonne monsieur Crawford de ne pas être très bien disposé à mon égard.

Kara étouffa un soupir et s'avança vers Adam en brandissant une clé.

— Regardez, Madeline m'a confié la clé de cette maison, il y a longtemps déjà. Preuve que nous ne nous sommes pas introduits par effraction !

— Mais... elle n'est pas ici ? fit Adam, de plus en plus perplexe. Vous a-t-elle chargés de chercher ses affaires ?

— Ah, je vois, fit Kara d'un ton sec. Vous croyez les rumeurs qui circulent sur Ted et Madeline. Eh bien, sachez qu'il est son notaire... et son ami de longue date. C'est elle qui nous a présentés, il y a quatre ans de cela. Depuis lors, nous ne nous sommes plus quittés. En fait, nous devons nous marier bientôt... Et Madeline sera ma demoiselle d'honneur.

Adam demeura muet. D'après ses informations, Madeline avait vécu avec Ted Ruffin. Alors ?

Comme si elle lisait en lui, Kara reprit :

— Je suis désolée. Evidemment ce n'est pas votre faute si Madeline refuse d'évoquer ses mauvais souvenirs. Mais souvenez-vous qu'avec elle, il faut se garder de tirer des conclusions trop hâtives.

— C'est justement mon problème, convint Adam. Je tire toujours des conclusions hâtives... qui se révèlent fausses.

— Puisque vous l'admettez, tout espoir n'est pas perdu ! rétorqua Kara. Quoi qu'il en soit, Madeline n'est pas ici et ignore que nous y sommes. Avec quelques vieux amis, nous lui préparons une surprise. Voilà pourquoi nous rassemblons certaines affaires dont elle pourrait avoir besoin.

— Madeline fait ce qu'elle veut, déclara Adam à contrecœur. Sa vie ne me regarde pas.

— Vous plaisantez, Adam ! Ces derniers temps, chaque fois que je l'ai eue au téléphone, elle ne parlait que de vous. Vous la rendez très heureuse, je vous assure.

A ces mots, Adam ne put retenir un petit sourire satisfait.

— Assisterez-vous au concert, ce soir ? s'enquit Kara à brûle-pourpoint.

— J'en avais l'intention, mais...mais je ne savais pas que Madeline y serait.

— Euh... une décision de dernière minute.

— A vrai dire, je n'aime pas beaucoup ça. Si jamais je tombe sur elle...

— Aucun risque! riposta Kara en riant. Elle restera cachée dans les coulisses.

— Tiens, comme c'est bizarre! Pourquoi craindrait-elle de se montrer à une soirée de bienfaisance?

Kara lui lança un coup d'œil intrigué.

— Vous connaissez Madeline. Bon, maintenant nous devons nous dépêcher. J'espère que vous êtes bien placé dans la salle, ce sera un spectacle inoubliable!

Au moment de partir, Ted tendit de nouveau la main à Adam. Cette fois, il la serra. Alors Ted déclara gravement:

— Je suis heureux que vous soyez des nôtres, ce soir. Nous sommes peut-être en train de commettre une terrible erreur et, dans ce cas, Madeline aura besoin de vous.

Là-dessus, il s'éloigna, laissant Adam plongé dans un abîme de perplexité.

Madeline gara sa voiture le plus loin possible de l'entrée principale. Grâce à Dieu, le parking était désert. D'une main tremblante, elle tira sur le col de son chemisier, puis frappa à une petite porte. Celle-ci s'ouvrit presque instantanément.

— Denny! Comment vas-tu...?

— Bonjour, ma belle! s'exclama le jeune homme en l'embrassant.

Sans lui laisser le temps de placer un mot, il l'entraîna le long du couloir.

— Ecoute, poursuivit-il d'une voix changée, nous avons des ennuis... de *gros* ennuis.

— C'est la même chose à chaque spectacle! rétorqua Madeline. Ne te plains pas, tu as encore deux heures pour régler le problème.

— Malheureusement, il faudrait un miracle... Mada Lynn a disparu.

— Quoi?

— Oui, elle est partie, expliqua Denny, l'air catastrophé. Elle nous a laissé un petit mot précisant qu'elle se sent incapable de chanter ce soir et qu'elle reprendra contact avec nous plus tard.

— Mais, c'est inconcevable! Elle est folle!... Sa carrière va en pâtir.

— Seigneur, que faire? fit Denny, en se tordant les mains.

— D'abord, allons nous asseoir et réfléchissons. Je n'arrive pas à y croire. Ne me cacherais-tu pas quelque chose?

Ils traversèrent les coulisses en silence. Autour d'eux, la mine consternée, techniciens et artistes se préparaient pour le concert. Dans une atmosphère survoltée, on entendait des chuchotements angoissés.

Denny conduisit Madeline vers la loge qui lui avait été affectée. Sitôt la porte refermée, la jeune femme murmura:

— Avoue-moi la vérité, Denny. Que s'est-il passé au juste?

Assis sur une chaise, il la contempla d'un air accablé.

— C'est ma faute! Nous projetions de nous marier, Mada Lynn et moi...

— Formidable! Quand?

— Voilà le problème. Elle veut que ce soit tout de suite. Moi, je refuse car nous avons tous les deux des engagements à respecter. Bref, nous nous sommes disputés et elle a menacé de tout laisser tomber. Mais je ne m'attendais pas à ce brusque départ!

— As-tu cherché à la retrouver? A joindre ses parents?

— Nous l'avons cherchée partout. En vain! Je t'ai menti, ce matin. J'étais déjà ici, à tenter de trouver une piste. Nous avons besoin de ton aide, Madeline.

— Je ne peux rien pour vous. Il ne nous reste qu'à espérer la voir réapparaître.

— Mais tu ne te rends pas compte! Nous avons moins de deux heures pour redresser la situation. Sinon, l'hôpital devra rembourser les billets.

— Qu'attends-tu de moi? Même si je faisais un don suffisant pour compenser vos pertes, cela ne sauverait pas la réputation de Mada Lynn.

— Exact. Mais nous pourrions inventer une excuse quelconque...On raconterait au public qu'elle a été retardée en route, par exemple.

— Et laisser l'orchestre jouer de la musique d'ambiance durant toute la soirée? Cela ne marchera pas! Les gens ont payé cher... Ils exigeront une vedette.

Denny détourna les yeux, affichant une désinvolture qu'il était loin de ressentir.

— Et si nous leur offrions Melody Richards?

200

— Non!

Bouleversée, Madeline se leva d'un bond, pour se rasseoir aussitôt, prise de vertige.

— Pourquoi pas? insista Denny. Tu connais les mélodies mieux que personne. Et tout le monde dit que tu étais géniale à la dernière répétition.

— Non, répéta Madeline.

Une sensation de panique l'étreignait.

— Peux-tu affirmer sincèrement que cela te déplairait de remonter sur scène? Allons donc! Ton métier te passionnait trop, autrefois.

— Si jamais j'acceptais, es-tu en mesure de me garantir qu'on ne me harcèlera pas? Qu'aucun journaliste ne m'accablera de questions indiscrètes? Que des hordes de curieux ne s'aventureront pas jusqu'à Willow Shores dans l'espoir d'entrevoir la célèbre Melody Richards? Et puis, qu'adviendrait-il de ma vie paisible?

— Quelle vie? Depuis l'âge de dix ans, ton but était d'interpréter tes propres chansons devant un public enthousiaste. Tu avais parfaitement réussi. Ensuite, tu as tout abandonné parce que rien ne devait ternir l'univers magique de Melody Richards. Les gens se soucient peu de ton mariage raté la seule chose qui les préoccupe est de savoir pourquoi tu les prives de ton talent.

— Malheureusement, c'est à cause de mon « mariage raté » que j'ai perdu mon talent.

— Oh, j'en ai assez de tes sempiternelles jérémiades, de ton orgueil! cria Denny. Au lieu de lutter, tu as laissé Gordon te détruire. Au lieu de réagir, tu passes ton temps à te plaindre. Maintenant, tu es tellement habituée à vivre dans ton cocon que les autres n'existent plus pour toi. Tu te moques de ton public, de Mada Lynn, de moi, de l'hôpital. Très bien, puisque c'est ainsi, rentre chez toi. Mais souviens-toi qu'on t'a donné une deuxième chance et que tu l'as refusée. Je ne te croyais pas aussi lâche!

Sur ces mots, Denny tourna les talons et quitta la pièce en claquant la porte.

Une demi-heure s'écoula, durant laquelle Madeline demeura prostrée, se remémorant les cinq dernières années, les comparant à celles précédant son mariage. Parviendrait-elle jamais à éprouver les mêmes sentiments qu'à l'époque de sa jeunesse innocente? Risquer une nouvelle expérience... Oui, c'était tentant! Mais si elle échouait?...

Un coup léger fut frappé à la porte, puis Kara apparut sur le seuil.

— Bonjour! Je viens de rencontrer Denny qui arpentait le couloir tel un ours en cage. Que lui as-tu fait?

— J'ai refusé de remplacer Mada Lynn.

— Pourquoi?

— Tu le sais parfaitement. Comment pourrais-je interpréter des chansons d'amour alors que mon cœur est mort?

— Enfin, Madeline! Il y a de l'amour dans chacune des chansons que tu écris, il y a de l'amour dans chacun de tes gestes, dans chacune de tes paroles. Et ton beau professeur, crois-tu qu'il serait

202

aussi amoureux s'il n'espérait pas être payé de retour ?

— Adam ne m'aime pas. Il est seulement fasciné par mon ancienne gloire, par le parfum de mystère qui m'entoure. S'il connaissait la vérité sur mon histoire, il me quitterait.

— A présent, je comprends l'amertume de mon cher frère ! Qu'est devenue notre Melody Richardson, celle qui ne se décourageait jamais, celle qui nous disait : « Allons-y ! Droit au but ! » ? Comment est-elle devenue lâche à ce point ?

— Toi aussi, Kara, tu m'accuses de lâcheté !

— Oui.

— Alors, vous vous liguez tous contre moi ! Apparemment, la seule façon de conserver l'estime de mes deux meilleurs amis est de me donner en spectacle dans cette salle. Eh bien, il semble que je n'ai pas le choix !

Elle consulta sa montre et poursuivit :

— En partant tout de suite, tu pourrais me rapporter à temps mon costume de scène.

— Tes affaires sont dans la loge de Mada Lynn.

Madeline frissonna à la perspective de l'épreuve qui l'attendait, cependant elle ébaucha un sourire.

— Ainsi, tu avais tout prémédité ! Enfin, espérons que la soirée ne se terminera pas par un désastre.

— Je suis sûre du contraire ! s'écria Kara, les yeux embués de larmes. Tu verras, Madeline, tu seras merveilleuse.

Une fois seule dans sa loge, la jeune femme

203

ouvrit sa trousse de maquillage et soupira. Que dirait Adam en apprenant qu'elle avait pris cette grave décision sans le consulter? Jusque-là, il connaissait une vedette retirée de la scène, fuyant les journalistes. Mais, à partir de ce soir, finie leur tranquillité! Comment Adam résisterait-il au choc? Madeline préférait ne pas y penser.

Pourvu qu'il n'écoute pas la radio pendant son voyage de retour! Elle jugeait indispensable de lui annoncer la grande nouvelle de vive voix.

14.

L'orchestre jouait déjà lorsqu'Adam pénétra dans la salle. Il se dirigea vers la troisième rangée où se trouvaient les membres de la famille McCrory et leurs invités. Avant de s'asseoir à côté de Bill, il adressa un signe de tête poli à Eleanor et Beverly. Les deux hommes échangèrent quelques mots mais le niveau sonore était tel qu'ils renoncèrent à discuter.

Enfin, le morceau s'acheva. Eleanor et Beverly quittèrent leur siège pour aller bavarder avec des amis. Aussitôt, Bill se tourna vers Adam.

— Tout se passe bien à la ferme, malgré les complications ? s'enquit-il.

C'était le moment de se jeter à l'eau ! L'air impassible, Adam répondit :

— Oui, très bien. En revanche je suppose que les affaires de la *Société Williams* vous donnent quelques soucis.

Le visage de Bill s'empourpra, néanmoins il garda le silence.

— Vous êtes très fort, mon cher, poursuivit Adam. Mais, voyez-vous, je n'apprécie guère la façon dont vous m'avez manipulé.

— De quoi vous plaignez-vous ? N'avez-vous pas obtenu ce que vous souhaitiez ? Le programme se déroule comme prévu et vous devriez être fier d'accomplir cette œuvre en mémoire de Warren. Ah, si seulement vous pouviez persuader cette horrible femme de vendre, le problème des bourses serait vite réglé !

— Madeline, n'est pas horrible, Bill. Et, elle ne vendra pas. Jamais. Son domaine représente beaucoup pour elle. C'est vous qui feriez mieux de vendre ! Vous possédez des hectares de terre cultivable qui seraient mieux employés à d'autres fins.

— Ah, ah, je constate que l'incomparable Mme Richardson a fait une nouvelle victime !

— Vous me dégoûtez...

— Allons, mon vieux, réveillez-vous ! Cette femme se joue de vous comme elle se joue de tous les hommes. Vous auriez avantage à suivre mes conseils. Si vous m'aidez, je vous offrirai une participation dans la *Société Williams*. Vous serez riche, Adam, très riche !

— Je n'ai pas besoin de votre argent.

— Je vois... Ainsi, vous avez trouvé plus intéressant.

D'abord, Adam ne comprit pas. Enfin, il crut saisir l'allusion de Bill.

— Si vous pensez au lotissement, déclara-t-il, il n'y en aura pas. Madeline ne veut pas en entendre parler.

Penchant la tête de côté, Bill étudia son voisin et s'apprêtait à répondre lorsque les lumières s'éteignirent dans la salle. Un homme s'avança sur scène et déclara d'une voix forte :

— Mesdames, messieurs, un peu de silence s'il vous plaît.

Adam faillit profiter du léger brouhaha pour s'éclipser, mais il préféra ne pas se faire remarquer et attendit la suite.

— Nous avons le regret de vous annoncer que Mada Lynn a été retardée, poursuivit le présentateur.

Un grondement parcourut le public alors que les musiciens reprenaient leurs places sur l'estrade.

L'homme leva la main pour obtenir le silence et ajouta sur un ton apaisant :

— Par bonheur, une autre interprète a aimablement accepté de la remplacer en attendant qu'elle arrive.

Le grondement s'enfla.

— Restez assis, je vous en prie. Au cas où vous ne seriez pas satisfaits de votre soirée, nous vous rembourserons vos billets.

Avec un sourire, l'homme jeta un coup d'œil du côté des coulisses avant d'adresser un signe aux musiciens. Ceux-ci attaquèrent un air rythmé qui parut familier à Adam. Oui, il était sûr de l'avoir déjà entendu maintes fois à la radio, mais il ne pouvait l'identifier. De toute évidence, le public le reconnaissait, lui. Des applaudissements nourris crépitèrent dans la salle.

A la surprise d'Adam, Bill se dressa soudain, livide, manifestement bouleversé. Puis, il se rassit ou plutôt se laissa tomber sur son siège.

A présent, le public faisait de bruyantes ovations tandis que la musique devenait assourdissante.

— Je vois que vous avez reconnu l'air, s'écria l'annonceur. Eh oui, je suis particulièrement heureux d'accueillir parmi nous la reine de la chanson d'amour. Bienvenue pour votre retour sur scène… Melody Richards.

Cette fois, un tonnerre d'acclamations salua la nouvelle, l'enthousiasme devint délirant. Adam regarda l'estrade avec un intérêt accru. La légende de Melody Richards ne lui était pas inconnue et il comprenait qu'un événement considérable se préparait.

Une jeune femme svelte, moulée dans une combinaison de satin d'un blanc éblouissant, s'approcha du micro. Aveuglé par les flashes qui se déclenchaient autour de lui, Adam la distinguait mal. Il n'entrevoyait qu'une silhouette qui saluait pour remercier le public de son accueil chaleureux. Au bout de plusieurs minutes, elle leva les bras en l'air pour réclamer le silence. En vain.

Renonçant à modérer la frénésie de la foule, elle s'empara d'une guitare et fit signe aux musiciens de jouer malgré le vacarme. Peu à peu, le bruit diminua, la vedette saisit le micro, commença à chanter d'une voix douce et mélodieuse.

La stupéfaction se peignit sur les traits d'Adam.

— Bon sang... Madeline!

Eberlué, il se tourna vers Bill, mais ce dernier tentait déjà de s'en aller. Lui bloquant le passage, Adam chuchota, furieux:

— Pourquoi ne me l'aviez-vous pas dit?

— L'occasion ne s'est jamais présentée.

— Menteur! Vous m'avez menti, espèce de crapule!

Comme Bill faisait mine de s'éloigner, il lui agrippa le poignet.

— Quand je pense à tout ce que vous m'avez raconté sur elle! Vous préfériez que j'ignore la vérité, cela servait mieux vos desseins.

— N'importe qui aurait pu vous renseigner.

— Je vous faisais confiance, pourquoi aurais-je interrogé des gens à propos de Madeline? Dire que je croyais être votre obligé alors que, depuis le début, vous vous moquiez de moi!

— Qui se moque de vous, au juste? Réfléchissez, Adam. Manifestement, vous êtes intime avec cette femme. Bizarre qu'elle ne vous ait pas parlé de sa carrière!

Adam crispa les poings mais réusssit à se contenir. Il ne fallait pas perturber le récital de Madeline!

Sur ces entrefaites, Eleanor se pencha vers Bill et déclara d'une voix vibrante de colère:

— Sortons immédiatement, veux-tu? Cette femme me fait horreur!

Adam s'effaça pour laisser passer les membres de

la famille et leurs amis. Au moment de partir, Bill lui lança :

— Quand vous en aurez assez de Madeline, venez me voir. Je serai peut-être toujours enclin à vous ménager une place dans ma société.

Etonnée de le voir rester assis, Eleanor se retourna et l'apostropha.

— Que se passe-t-il ? Suivez-nous, Adam !

— Non, je ne vous accompagne pas, Ellie. Demandez des explications à votre frère... si vous tenez réellement à savoir ce qui se passe.

A ces mots, Bill saisit le coude de sa sœur et l'entraîna dans l'allée.

— Nous nous reverrons, Crawford, lança-t-il.

— J'y compte bien. Il nous reste de nombreuses questions à régler.

Enfin seul, Adam put se consacrer au spectacle. Maintenant, Madeline évoluait sur la scène, interprétant une deuxième chanson au rythme cadencé. C'était une nouvelle Madeline, totalement à l'aise, plus résolue encore que celle qu'il connaissait, plus séduisante encore que celle qu'il aimait.

Hypnotisé, il gardait les yeux fixés sur la jeune femme. Il ne lui en voulait même pas de ses cachotteries. Ainsi, c'était là son fameux secret ! Mais pourquoi lui dissimuler ses activités d'autrefois ? Craignait-elle qu'il ne lui demeure attaché que par intérêt, à cause de sa célébrité ? Non, cela ne cadrait pas avec le personnage, elle qui souhaitait tant qu'on lui fasse confiance.

Entre deux chansons, Madeline s'adressait à l'auditoire sur un ton de complicité. En fait, l'assistance paraissait constituée d'anciens fans qui la connaissaient de longue date.

Avant d'exécuter un solo de banjo, elle raconta que son père le lui avait appris pour sa première interprétation en public lors de la traditionnelle fête du maïs. Suivit un morceau de violon qu'elle dédia à sa mère, puis des chansons sur sa tante Kate et le domaine de Willow Shores. Adam reconnaissait la plupart des mélodies, mais il n'avait jamais établi le rapprochement ni avec Rockland ni avec Madeline.

Envoûté par la beauté mystérieuse de sa voix, Adam se renversa en arrière afin de mieux jouir du spectacle de Madeline en train de chanter. Quel talent! Quelle perfection! Dire qu'il avait embrassé cette séduisante créature, qu'il l'avait caressée, transportée dans un univers de plaisirs sensuels!

Le tirant brutalement de son extase, les lumières se rallumèrent pour l'entracte.

A l'instar de la plupart des gens, Adam se rendit à l'entrée de la salle. On y avait dressé un stand où étaient exposés des enregistrements de Melody Richards ainsi que de Mada Lynn. Sur des dizaines de pochettes, l'image de Madeline lui souriait. A part sa cicatrice, elle n'avait pas changé du tout. S'il s'était un peu plus intéressé à la *country music*, il l'aurait identifiée dès leur première rencontre!

Comme il examinait de plus près les œuvres de Madeline, une pochette de disque attira son attention: « La fée des neiges salue le printemps ».

211

Sourcils froncés, il se remémora la réaction de la jeune femme lorsqu'il l'avait comparée à une fée des neiges. Elle lui avait reproché son manque d'originalité !

En proie à une sensation de malaise, il retourna s'asseoir. Peu à peu, certains faits lui revenaient à l'esprit. Depuis le début, Madeline n'avait cessé de faire des allusions à sa carrière ! Evidemment, elle était persuadée qu'il était au courant, sinon par Bill du moins par la rumeur publique.

Ah, les McCrory s'étaient bien moqués de lui ! S'il n'était pas si furieux, Adam aurait trouvé la situation comique.

L'entracte enfin terminé, l'orchestre se remit en place. Madeline réapparut sous le feu des projecteurs toujours vêtue de sa combinaison blanche que rehaussait cette fois, une large ceinture en strass. Elle était si jolie que le cœur d'Adam se serra.

A mesure que le programme se déroulait ,son malaise s'amplifiait. Comment se comporte-t-on en amour avec une vedette ? Heureusement qu'au départ il ne se doutait de rien ! Leurs rapports en auraient été fort différents. Mais au fond, Madeline croyait qu'il l'avait toujours su... Par conséquent, elle n'avait aucune raison de changer d'attitude. En revanche, il allait devoir s'habituer à l'idée que tout un aspect de la personnalité de la jeune femme lui était inconnu !

A sa stupéfaction, Madeline s'interrompit soudain au milieu d'une chanson, se tourna vers les coulisses, secoua la tête en riant. Esquissant un geste du bras, elle annonça :

— Mes amis, voici enfin la grande artiste pour laquelle vous étiez venus ce soir... Voici Mada Lynn !

Une ravissante personne s'avança, chaleureusement saluée par l'assistance. Ses longs cheveux blonds descendaient jusqu'à sa taille ; elle portait une combinaison noire. Bras dessus, bras dessous, les deux jeunes femmes terminèrent ensemble la chanson.

A la fin, Adam entendit la voix de Madeline chuchoter dans le micro :

— Tu m'as bien eue, fripouille !

— Chut ! Le son est branché...

— Et alors ?

S'adressant directement au public, Madeline s'écria :

— Qu'en pensez-vous, mes amis ? Mada Lynn ne me doit-elle pas une explication ?

Un « oui » sonore s'éleva de la foule.

— Une minute ! intervint Mada Lynn avec un large sourire. Si je dois être jugée, je veux que ce soit en compagnie de mes complices.

Feignant le désespoir, Madeline leva les yeux au ciel tandis que Mada Lynn s'approchait du micro central. L'un après l'autre, elle présenta Denny Winslow et les quatre membres de son groupe. Chacun embrassa Madeline avant d'aller remplacer les musiciens. Les acclamations des spectateurs devinrent assourdissantes. Les bras croisés sur la poitrine, Madeline s'efforçait toujours d'avoir l'air contrarié.

— Mes chers amis, poursuivit Mada Lynn, en organisant ce concert, je m'étais promis de réunir la totalité de l'ancien groupe de Melody Richards. Comme vous le savez, ces cinq musiciens ont un emploi du temps extrêmement chargé. Ils ont fait l'effort de se rendre à mon invitation dans un unique but... celui de saluer la personne dont le talent et le soutien ont permis la réussite de nos carrières. Hélas, cette personne refusait obstinément de se produire en public. Voilà pourquoi j'ai été forcée d'imaginer un petit scénario... et voilà pourquoi on m'accuse d'être une fripouille.

Elle adressa un clin d'œil à Madeline avant de prendre l'auditoire à parti:

— Que ceux d'entre vous qui souhaitent que Melody Richards revienne à la scène se lèvent et applaudissent.

Durant cinq bonnes minutes, un tumulte indescriptible régna dans la salle. Sur un signe de Mada Lynn, les projecteurs se mirent à clignoter. Adam se sentit très ému. D'ailleurs, autour de lui, beaucoup de gens pleuraient sans retenue. La gorge nouée, il regarda Madeline. Ses yeux bleus brillaient mais, comme d'habitude, elle conservait son sang-froid.

D'une voix légèrement altérée, elle murmura dans le micro:

— Merci... merci à vous tous.

Ensuite, de son geste familier, elle repoussa ses cheveux en arrière. L'éclairage diminua peu à peu.

— A présent, poursuivit-elle, place à la nostalgie! Nous nous proposons de vous interpréter certains de nos succès d'autrefois. Ceux qui ont envie de chanter avec nous, n'hésitez pas! Ceux qui ont envie de taper des mains, allez-y! D'accord?

Ils jouèrent dix morceaux, tous connus du public et tous accueillis par des cris enthousiastes. Indubitablement, Madeline possédait un don extraordinaire pour la musique, songea Adam. Pourquoi avait-elle renoncé à la scène?

En s'interrogeant, il s'aperçut qu'il ne connaissait toujours pas son secret. En tout cas, il ne s'agissait pas de sa carrière puisqu'elle n'avait pas tenté de lui cacher son identité. Alors, que lui cachait-elle donc?

Enfin, Madeline revint au centre de l'estrade, un peu essoufflée mais radieuse.

— Merci d'avoir écouté nos anciennes chansons, déclara-t-elle. Pour terminer, ce soir, nous vous offrons une œuvre inédite. J'espère que vous l'apprécierez assez pour acheter le disque, car il sera vendu au profit de l'hôpital. J'espère aussi que vous nous pardonnerez si nous ne l'exécutons pas parfaitement. Le temps nous a manqué pour la travailler.

A ces mots, Adam tressaillit. Tout à coup, il se souvenait de ce jour où Madeline avait évoqué un travail urgent. Un instant plus tard, elle disparaissait à l'étage et se mettait au piano. Il ne lui avait posé aucune question, s'imaginant qu'elle jouait uniquement pour son plaisir... loin de penser qu'elle avait le moindre talent!

215

Pendant que la lumière baissait d'intensité, Madeline s'installa sur un tabouret avec sa guitare. Après une introduction en solo, le reste du groupe l'accompagna tandis qu'elle chantait. Au bout d'un moment, la salle entière fut plongée dans le noir, à l'exception d'un unique projecteur braqué sur la silhouette blanche de Madeline.

Paupières closes, immobile au milieu des ténèbres environnantes, la jeune femme répéta une deuxième fois le dernier couplet. Quand elle eut fini, un sourire heureux flottait sur ses lèvres. Puis, elle se leva, salua… le projecteur s'éteignit.

Comme transportés d'extase, les spectateurs demeurèrent silencieux, les yeux fixés sur la scène. Tout doucement, l'orchestre se remit à jouer le refrain de la chanson finale alors que les pinceaux des projecteurs dirigés sur la toile de fond créaient l'illusion d'une chute de neige.

Un tonnerre d'applaudissements éclata, cependant Madeline ne revint pas. Adam en éprouva une vive déception, il aurait voulu que le concert dure encore.

Les portes de la salle s'ouvrirent. Autour de lui, les gens se levèrent, mais il resta assis. Une femme qui passait dans l'allée s'arrêta à sa hauteur.

— Inutile d'attendre, déclara-t-elle. Melody Richards ne donne jamais de bis.

Sur ces mots, la femme s'éloigna.

Les coudes appuyés sur ses genoux, la tête entre ses mains, Adam s'absorba dans ses pensées. Ainsi *sa* Madeline, la femme qu'il aimait, était une vedette ! Certes, il s'agissait de la même personne, belle, intelligente, sensible, mais sur scène elle débordait d'une assurance qu'il ne lui connaissait pas. Il n'aurait pas cru possible de l'aimer davantage, et pourtant ce nouvel aspect de sa personnalité la rendait encore plus chère à son cœur. Vibrant d'impatience, il mourait d'envie de la serrer dans ses bras, de lui confier les sentiments qu'il éprouvait.

Comme il relevait la tête, son regard croisa celui de Kara. La jeune femme s'approcha de lui.

— Voilà le plus acharné de tous les fans ! fit-elle en riant. Tout le monde est parti, vous savez.

— Oh, Kara, quelle merveilleuse soirée ! je suis ébloui par le talent exceptionnel de Madeline. Pourquoi a-t-elle abandonné le spectacle ?

— Mieux vaudrait lui poser personnellement la question.

— Obtiendrai-je une réponse, à votre avis ? Elle est tellement réservée. Figurez-vous que je n'étais pas au courant !

— Rien d'étonnant à cela. Personne n'était au courant, pas même Madeline. Cela fait des mois que nous complotons pour essayer de la faire remonter sur scène !

— Je ne faisais pas seulement allusion au concert de ce soir. J'ignorais qu'elle était Melody Richards...

— Impossible ! se récria Kara. Madeline est incapable de mentir.

— Elle ne m'a pas menti. Tout simplement, elle

croyait que je le savais. Quand je pense aux stupidités que j'ai pu proférer devant elle ! Par exemple, je m'imaginais que Madeline souffrait d'un complexe d'infériorité. La merveilleuse Melody Richards, un complexe d'infériorité ! Elle a dû me prendre pour un simple d'esprit !

— Pas du tout, elle devait être ravie. Madeline n'a pas l'habitude qu'on s'inquiète de ses sentiments ni de ses opinions. Il lui faudra un peu de temps pour s'accoutumer à l'idée que quelqu'un l'aime sincèrement.

— Puis-je la rejoindre en coulisse, d'après vous ?

— Bien sûr ! C'est justement la raison pour laquelle je suis venue vous trouver. Voici un badge officiel de garde du corps. Avec ça, vous pourrez l'approcher… et empêcher les autres d'en faire autant, acheva-t-elle en souriant.

— Je redoute presque de la revoir, admit Adam. Jusqu'à aujourd'hui, je n'avais jamais rencontré de vedette.

— Je vous préviens, c'est la cohue, là-bas. Entre les journalistes, les fans, son agent, il y a de quoi devenir fou. Heureusement, Madeline ne perd pas la tête. Elle saura comment se comporter pendant les prochaines heures.

— Bon, j'ai compris. Me voilà prêt à jouer mon rôle de garde du corps muet, fit Adam en épinglant son badge. Oh, à propos, Kara, ajouta-t-il, ne lui dites pas que je n'étais pas au courant…

— Mais vous n'avez tout de même pas l'intention de le lui cacher !

218

— Je lui en parlerai plus tard. Ce soir, elle sera déjà assez éprouvée. Il ne lui en faut pas beaucoup pour la rendre nerveuse.

— Je sais. Ne la laissez pas échapper, Adam Crawford. Madeline n'en a peut-être pas encore conscience, mais elle a besoin de vous.

Le cœur d'Adam se serra à l'idée que Madeline pourrait le quitter. Néanmoins, il répondit à Kara d'un ton léger :

— Moi, son garde du corps officiel, la laisser échapper ? Vous plaisantez, j'espère !

15.

Après sa sortie, Madeline était restée un moment dans les coulisses, admirant les jeux de lumière. Ensuite, elle se fraya un chemin à travers la foule qui se rassemblait déjà dans le couloir. Son agent avait dû être certain d'avance qu'elle accepterait de paraître sur scène. En tout cas, il avait invité une quantité de gens susceptibles de l'aider à faire une éventuelle rentrée.

Enfin, la jeune femme parvint jusqu'à la loge qu'elle partageait avec Mada Lynn. L'espace exigu était envahi par ses admirateurs.

C'était l'instant euphorique succédant au concert. Durant quelques minutes, Madeline feignit l'indignation. Mais aucun de ses amis ne s'en émut. Il est vrai que le spectacle avait été une éclatante réussite.

On venait d'offrir une coupe de champagne à la reine de la soirée quand Kara la rejoignit.

— Adam a assisté au concert, lui chuchota-t-elle en aparté.

Catastrophée, Madeline balbutia:

— Mais, c'est impossible... Je le croyais à Madison.

— Pourtant il est ici, plus séduisant que jamais. Mieux vaudrait que j'aille le chercher avant qu'une de tes fans le kidnappe.

— Je ne veux pas le voir maintenant, répliqua Madeline en fronçant les sourcils. Il doit m'en vouloir terriblement. Il doit s'imaginer que j'ai tout prémédité en cachette.

— Cela m'étonnerait. Mada Lynn a bien expliqué au public que tu n'étais pas prévenue de ce qui se tramait. Enfin, si cela peut te rassurer, je le lui redirai. Il me croira puisqu'il nous a surpris, Ted et moi, pendant que nous rassemblions tes affaires à Willow Shores.

— *Quoi*?... Qu'a-t-il dit en vous voyant?

— Oh, il avait l'air de trouver nos agissements plutôt étranges. Tu te doutes que je ne lui ai pas fourni beaucoup d'explications! Figure-toi qu'il s'imaginait que tu projetais de t'enfuir avec Ted.

— Oh mon Dieu, c'est le bouquet! s'exclama Madeline.

— Je ne vois vraiment pas pourquoi tu t'inquiètes. Tu viens de donner une superbe démonstration de tes talents alors que l'homme de ta vie se trouvait dans la salle. Qu'y a-t-il de si terrible dans cette affaire?

— Essaie de comprendre. Je suis en train de

franchir une étape qui risque de changer radicalement la nature de nos relations. Et je n'ai même pas eu la possibilité de le prévenir. Il nous faudrait en discuter tranquillement alors que tu proposes de me l'amener au milieu de cette cohue !

— Que comptes-tu faire de lui, Madeline ? Tu ne peux pas le laisser tout seul dans cette salle alors qu'il vient d'avoir une surprise de taille.

Elle secoua la tête et déclara :

— Je regrette mais je n'ai vraiment pas le temps de m'occuper de lui maintenant. Je sais qu'il va être bouleversé par la métamorphose subite de Melody Richards.

— Ne dis pas de bêtises ! Tu ignores la façon dont il va réagir.

— Bon, d'accord, va le chercher. Mais dépêche-toi. Bientôt, je vais devoir affronter les journalistes et je ne pourrai plus lui consacrer une seconde.

— Et ensuite, il y a une réception dans la ferme de mon père.

— Décidément, vous avez organisé cela de main de maître !

— De quoi te plains-tu ? Tout s'est passé à merveille.

— Ne crions pas victoire trop tôt. On avisera après la conférence de presse.

Et après ma conversation avec Adam, acheva-t-elle tout bas.

Avant de s'éloigner, Kara l'embrassa sur la joue et la rassura :

— Ne t'inquiète pas, tout ira bien. A propos,

nous sommes désolés, Denny et moi, de t'avoir si durement traitée. Nous n'en pensions pas un mot mais c'était notre seul moyen de persuasion.

— Si vous n'en pensiez pas un mot, vous n'auriez pas été capables de me persuader. Sur le moment, j'avoue que cela m'a fait de la peine... mais je vous aime toujours autant, tous les deux.

Aussitôt Kara disparue, le cercle des fans se referma sur elle. De toutes parts, des questions fusèrent, presque toutes concernant ses projets d'avenir.

Depuis leur première nuit d'amour, au bord du lac, Madeline n'envisageait l'avenir que par rapport à Adam. La chanson ne figurait pas au programme ! Aujourd'hui, une occasion se présentait de renouer avec sa carrière. Quelle serait la réaction d'Adam ? Exigerait-il qu'elle renonce à la scène ? Ou bien, prétendrait-il que cela ne l'ennuyait pas... pour, plus tard, la torturer comme l'avait fait Gordon ? Non, pas question de subir à nouveau une aussi terrible épreuve !

Une seule lueur d'espoir, bien fragile : peut-être serait-il fier et heureux de son succès ? Hélas, elle en doutait fort.

Adam ne lui avait-il pas raconté qu'il appréciait Gordon, autrefois ? N'avait-il pas affirmé que lui-même serait jaloux si d'autres hommes s'empressaient autour d'elle ? A plusieurs reprises, déjà, il avait paru lui reprocher sa fortune.

Lui qui avait ajouté foi aux mensonges de Bill, que dirait-il quand les journaux s'acharneraient sur

224

elle? Quand on exhumerait les anciens scandales? Saurait-il lui faire confiance, être sûr de sa fidélité envers et contre tout?

Quelle ironie du sort! Tout au long du spectacle, Madeline avait chanté son amour pour Adam, souhaité qu'il soit là pour entendre son message. Chaque note était un merci qu'elle lui adressait, un merci parce que, grâce à lui, elle était de nouveau capable d'éprouver de l'émotion, capable de faire partager ses sentiments au public...

Soudain, la voix de son agent la fit sursauter.

— Hé, Melody!

— Oui, Matt, qu'y a-t-il?

— C'est moi qui te pose la question! Pourquoi notre grande vedette semble-t-elle aussi préoccupée alors que ses fans brûlent de la voir sourire?

— Oh, excuse-moi.

S'efforçant de se montrer enjouée, elle circula au milieu de la foule, saluant les uns et les autres. En fait, la plupart des visages lui étaient inconnus, mais il ne fallait vexer personne!

A un moment donné, elle repéra Adam, appuyé contre le chambranle de la porte. Seigneur, comme il avait l'air sombre! Depuis combien de temps se tenait-il à cet endroit?

Enfin, leurs regards se croisèrent. Il ébaucha un sourire contraint et leva la main.

Tout en lui rendant son salut, Madeline se dirigea vers lui lorsqu'un individu la retint par le bras. Il prononça quelques mots qu'elle n'entendit pas à cause du bruit. Dans l'espoir de se débarrasser de lui, elle hocha la tête et lui adressa un sourire qui parut le satisfaire. A l'instant où il la quittait, elle perçut une odeur familière, un mélange d'eau de toilette poivrée et de tabac. Son cœur battit plus vite.

Comme un bras vigoureux lui enlaçait la taille, elle protesta à mi-voix:

— Attention, Adam! Ne me touche pas devant tout le monde. Les rumeurs circulent vite dans ce milieu.

Affichant le même sourire figé, Adam resserra son étreinte.

— Que m'importent les rumeurs! Aurais-tu honte de moi?

Plaisantait-il ou non? s'interrogea Madeline en se mordant les lèvres.

— Tu ne connais pas la presse, murmura-t-elle. Non, je n'ai pas honte de toi... mais lâche-moi, je t'en supplie.

Il obéit en soupirant.

— Moi qui espérais que ce badge de garde du corps me vaudrait quelques prérogatives!

Son sourire devint plus chaleureux, une petite lueur brilla au fond de ses prunelles. Un peu rassérénée, Madeline se préparait à lui répondre quand Matt s'interposa entre eux.

— Les journalistes s'impatientent, annonça-t-il. Es-tu prête à les affronter?

Résignée, Madeline posa son verre.

— J'y vais. Ecoute, Matt, tu te débrouilles pour me trouver un chauffeur. Je veux que ma voiture soit devant la porte côté ouest dans une demi-heure. Je consacrerai dix minutes aux autographes, vingt minutes à la presse. Ensuite, je veux pouvoir quitter les lieux sans encombre. Assure-toi que le chauffeur connaît la route pour se rendre chez les Winslow... Et puis, apporte-moi des vêtements de rechange.

— A vos ordres, madame ! Patiente encore une seconde, le temps que je dégage l'allée centrale.

Adam lui serra le bras.

— Cette fois, le devoir m'incombe de te protéger, déclara-t-il fermement. Pas question que tous ces gens portent la main sur toi !

Elle se raidit alors qu'il se penchait pour lui murmurer à l'oreille :

— Quelle autorité ! Tu m'as stupéfié. Par quel miracle la douce, la timide Madeline Richardson que j'ai connue s'est-elle transformée en une vedette sûre d'elle ?

Cette question inquiéta Madeline. Adam avait-il l'impression de ne plus la connaître ?

— Désolée, mais ce soir c'est moi qui commande, Adam.

Sur ces entrefaites, on tapa sur l'épaule d'Adam.

— Reculez-vous, ordonna un homme. Un garde du corps professionnel va vous remplacer. Il y a un monde fou ; madame Richards doit être accompagnée par quelqu'un capable de se charger des fans, en cas de problème.

L'air un peu vexé, Adam s'effaça sans un mot. Un autre garde s'approcha de Madeline. Une étrange émotion la submergea. Elle aurait voulu appeler Adam, le supplier de rester auprès d'elle. Mais la voix de Matt retentit à l'autre bout de la pièce :

— Tu viens, Melody ? On y va !

Ses vieux réflexes reprirent le dessus. Se redressant, elle se dirigea vers la porte.

Une masse de fans bruyants et surexcités encombraient les couloirs. Mal à l'aise, Madeline regretta la présence d'Adam. Puis, elle se ressaisit. Pourquoi cette dépendance vis-à-vis de lui ? Après tout, Melody Richards pratiquait ce genre d'exercice depuis l'âge de dix-neuf ans !

Presque à chaque pas, elle devait s'arrêter pour signer des autographes, serrer des mains tendues, distribuer des sourires. Enfin, ils pénétrèrent dans la salle aménagée pour la conférence de presse. A l'entrée de Melody, des dizaines de flashes crépitèrent. D'un geste instinctif, elle se protégea le visage. Des cris de déception s'élevèrent :

— On veut des photos !

— Ecoutez moi tous, vous pourrez prendre autant de photos que vous voudrez... à condition de ménager mes pauvres yeux. N'oubliez pas que je gagne ma vie en composant de la musique. J'ai besoin de conserver une bonne vue pour relire les partitions !

Elle prit une pose théâtrale et ajouta :

— Voilà, je me tiendrai ici, avec un joli sourire, pendant que vous me bombarderez chacun à votre tour. Commençons par ce côté...

228

Les photographes obéirent avec des grimaces comiques.

Restait le plus dur. On lui présenta un micro, la foule se rapprocha... et Madeline se sentit prise au piège.

Par un miracle de volonté, la jeune femme réussit à conserver son fameux sourire. D'un coup d'œil anxieux, elle chercha Adam du regard. Il était près de la porte, la mine plus farouche que jamais. Pourvu qu'on ne lui pose pas trop de questions malveillantes !

Etouffant un léger soupir, elle murmura dans le micro :

— Ça va. Vous pouvez déclencher le tir.

D'abord, les questions portèrent sur des généralités : sa carrière, sa musique, le tour que son ancien groupe lui avait joué... A plusieurs reprises, elle dut éluder des allusions à ses projets. Chaque fois, les journalistes insistaient :

— Avouez-le ! Vous savez que votre performance de ce soir était formidable. Pourquoi ne pas nous annoncer dès maintenant la bonne nouvelle ?

Elle jetait de fréquents coups d'œil vers Adam. Ses lèvres étaient pincées, son expression orageuse. Craignait-il qu'elle dévoile ses intentions sans le consulter ? N'avait-il donc aucune confiance en elle ?

Jusque-là, Madeline s'était efforcée de répondre sans se départir de son humour. Mais lorsque Matt annonça que la séance touchait à sa fin, les journalistes se déchaînèrent.

— Melody, vous avez interprété tous vos succès passés, sauf « Une éternité de bonheur ». Pourquoi ?

La jeune femme prit une profonde inspiration.

— Beaucoup d'entre vous savent que j'ai composé cette chanson à l'occasion de mon mariage, expliqua-t-elle d'une voix assourdie. Vu les circonstances, je préfère ne plus la chanter.

— A propos de votre mariage... la reine de la chanson d'amour pourrait-elle nous parler de sa vie sentimentale ? Apparemment, vous êtes devenue la reine des cœurs brisés !

— Dans l'univers de la chanson, l'amour et les cœurs brisés ne vont-ils pas toujours de pair ? rétorqua-t-elle.

— Melody, Denny Winslow vient d'annoncer ses fiançailles avec Mada Lynn. Etant donné votre ancienne liaison avec lui, quels sentiments éprouviez-vous en les retrouvant sur scène, ce soir ?

Avant qu'elle ait eu le temps de réagir, un mouvement près de la porte attira l'attention de Madeline. C'était Adam qui commençait à se frayer un chemin à travers la cohue. D'un léger hochement de tête, elle lui fit signe d'arrêter. Puis, elle s'adressa à son interlocuteur.

— Denny Winslow est un ami d'enfance. Je me réjouis sincèrement de ses fiançailles avec Mada Lynn... A vrai dire, j'ai l'intention d'écrire une chanson pour leur mariage.

— Madame McCrory ! lança une voix. Me permettez-vous de vous appeler ainsi ?

Madeline eut l'impression de suffoquer. Elle parcourut des yeux l'assistance et découvrit celui qui l'interpellait de la sorte : un homme de petite taille qui se trouvait à proximité d'Adam.

— Appelez-moi comme vous voudrez, riposta-t-elle. Cependant, il se trouve que ce n'est plus mon nom. Dans ce cas, pourquoi continuer à l'utiliser ?

— Très bien… Alors, Melody, persistez-vous à nier vos relations amoureuses avec Denny Winslow ?

Cette fois, l'expression révoltée d'Adam la frappa. Après s'être éclairci la gorge, elle dévisagea le journaliste insolent.

— Navrée de vous décevoir, mais je me garde toujours de réfuter ce genre d'accusation. C'est trop dangereux. Vous n'êtes probablement pas plus capable de m'appeler correctement par mon nom que de transcrire fidèlement ma réponse !

— Melody, intervint un autre reporter, pourquoi aviez-vous renoncé à la scène ?

Les doigts crispés autour du micro, elle réfléchit fébrilement et finit par expliquer :

— Vous le savez bien… J'ai eu un accident, on m'a hospitalisée… Ces événements m'ont obligée à interrompre une partie de mes activités.

Luttant contre sa nervosité grandissante, elle se força à rire.

— Voilà, c'est tout, acheva-t-elle. Je voulais seulement tenter une expérience.

Une voix domina le tumulte, celle du journaliste qui l'avait appelée Mme McCrory.

— Votre mari avait sans doute de bonnes raisons pour vous quitter. Qui était votre amant, puisque vous démentez votre liaison avec Denny Winslow ?

Comme l'homme s'approchait de Madeline, celle-ci recula d'un pas. Affolée, elle inspecta la salle dans l'espoir d'apercevoir Adam. En vain. Il avait disparu !

Une vague de colère la submergea. Ainsi il l'abandonnait au moment précis où elle avait le plus besoin de lui... exactement comme l'avait fait Gordon en maintes occasions !

Dans l'assistance, quelqu'un cria :

— Répondez, s'il vous plaît.

A nouveau, elle s'éclaircit la gorge, afficha un sourire de commande.

— Pour qui me prenez-vous ? lança-t-elle sur un ton de défi. Melody Richards n'a jamais été une rapporteuse.

Un éclat de rire général salua cette repartie.

— Nous avons déjà dépassé l'horaire, enchaîna-t-elle à la hâte. Merci à tous de votre présence. Je vous promets de lire chacun de vos articles... j'espère qu'ils seront flatteurs.

Elle marqua une pause, jeta un regard inquiet à l'endroit où Adam se trouvait quelques instants plus tôt, puis ajouta :

— Ne vous montrez pas trop durs à l'égard d'une vedette qui envisage de remonter sur scène.

Après une seconde de stupeur, l'auditoire comprit ce que signifiait cette dernière phrase et éclata en applaudissements.

232

Profitant du vacarme, Madeline tendit le micro à Matt et ordonna à son escorte :

— Sortons d'ici, vite !

Elle ne reprit sa respiration qu'une fois installée dans la voiture qui l'emportait loin de la meute des journalistes.

Adam se glissa le long du couloir désert. Ouf ! Madeline s'en était bien tirée. Dès le début de la conférence de presse, il avait reconnu le petit journaliste minable — l'ami de Bill McCrory. Des ennuis en perspective, avait-il immédiatement songé. Bien sûr, il avait cherché à la prévenir, mais Madeline lui avait fait signe de ne pas bouger. Au fond, c'était aussi bien ainsi. Elle n'avait pas eu besoin de son aide pour répondre aux questions les plus insultantes. Il s'en réjouissait. Mais il lui restait une démarche urgente à accomplir : mettre Bill McCrory définitivement hors d'état de nuire.

Une fois sur le parking, il s'adossa au mur. De l'autre côté du bâtiment, des applaudissements crépitèrent. Puis, des claquements de portières, un bruit de moteur. C'était sûrement Madeline qui se rendait chez les Winslow.

Quelques secondes s'écoulèrent avant que les portes s'ouvrent toutes grandes, laissant passer un flot de journalistes excités. La plupart d'entre eux gagnèrent en hâte leurs véhicules. Par chance, celui qu'il guettait, l'ami de Bill, ne semblait pas pressé. Il émergea l'un des derniers, ralentit le pas pour allumer une cigarette.

Adam esquissa un pas en avant, puis se ravisa. Manifestement, l'homme attendait quelqu'un. La suite promettait d'être intéressante.

Ce ne fut pas long. Des phares éclairèrent le parking déserté, une voiture s'immobilisa... Bill McCrory en descendit.

A l'instant précis où le reporter s'avançait pour lui serrer la main, Adam s'écria d'une voix forte :

— Tiens, quelle surprise ! Je ne pensais pas vous revoir si tôt, Bill !

Les deux hommes se retournèrent d'un même mouvement tandis qu'Adam s'approchait en souriant.

— Comme c'est pratique ! jeta-t-il sarcastique. Vous semblez toujours avoir de bons amis prêts à exécuter vos sales besognes.

Blême, le journaliste esquissa un mouvement de recul.

— Ne bougez pas ! ordonna Adam. J'ai une information sensationnelle pour vous.

— Ne dites pas n'importe quoi, Crawford ! s'exclama Bill.

— Je sais parfaitement de quoi je parle, McCrory ; vous feriez mieux de m'écouter.

— Et si je refuse ?

— Dans ce cas, j'inviterai votre ami ici présent à prendre un verre et je lui dévoilerai vos petites combines.

— Bon, d'accord, mais dépêchez-vous... Je suis un homme très occupé, grommela McCrory.

— Plus pour longtemps ! Vous allez boucler vos

234

bagages et retourner en Floride, Bill. Vous n'avez plus rien à faire dans la région. Mme Richardson ne vendra pas sa propriété, par conséquent vos projets de lotissement n'aboutiront jamais.

— Je n'ai aucune intention de renoncer à mes projets. Rien ne m'arrêtera, surtout pas la résistance dérisoire de cette sorcière.

— Vous avez tort de vous obstiner.

— Comment comptez-vous me convaincre ? Par la force ? Je vous ferai jeter en prison, s'il le faut.

— Vous y serez avant moi, McCrory, rétorqua Adam d'une voix menaçante. Je vous conseille de plier bagage et de laisser Madeline tranquille. Sinon, mes élèves pourraient raconter à la police certains faits concernant Jack Sloan et l'incendie de la métairie.

Bill jeta un coup d'œil furtif au journaliste, puis protesta.

— Personne ne croira que je puisse être impliqué dans cette affaire.

— Vraiment ? L'enquête révèlera que vous avez investi des millions de dollars dans les terres cultivables qui entourent Willow Shores. Qu'en pensera la police ? Non, mon vieux, suivez mon conseil. Confiez vos propriétés à un agent qui les mettra en vente et regagnez le soleil de la Floride. Tout bien considéré, vous ne vous en sortiriez pas trop mal.

Sur ce, Adam fit mine de s'éloigner, puis revint vers son interlocuteur.

— Quand vous aurez bien réfléchi, revenez me voir. Je parie que vous aurez pris une décision d'ici la fête du maïs...

De son côté, Madeline évoluait comme dans un rêve. Après son arrivée à la ferme Winslow, elle s'était changée, puis s'était laissée entraîner dans un tourbillon. La jeune femme joua à la perfection son rôle d'invitée d'honneur, bavardant et riant avec chacun, acceptant même d'interpréter plusieurs chansons.

Mais, durant toute la soirée, ses pensées ne quittèrent pas Adam. Où était-il? Comment réagirait-il lorsqu'ils se retrouveraient face à face?

Au retour, Madeline conduisit elle-même sa voiture. Là encore, l'image d'Adam ne cessait de la hanter. Pourquoi n'était-il pas venu à la soirée? Il avait disparu vers la fin de la conférence de presse, juste au moment où on évoquait son passé. Attitude plutôt inquiétante! Une seule explication à ce comportement: la colère.

Quand elle s'arrêta devant la maison, son cœur se serra. La camionnette était là, mais la façade était plongée dans les ténèbres. Bizarre! D'habitude, on laissait toujours allumée la lampe au-dessus de la porte. Peut-être Adam était-il allé se coucher en omettant de le faire.

Elle se dirigea vers la cuisine, espérant découvrir un petit mot sur la table. Rien! La porte de communication était entrouverte, mais aucune trace d'Adam. Brandy aussi semblait avoir disparu!

De plus en plus angoissée, Madeline monta dans sa chambre. Assise sur la banquette de la fenêtre, elle contempla le lac. Cette maison vide, ce silence oppressant lui rappelaient un terrible souvenir.

236

C'était après l'épisode de sa première rupture avec Gordon. Six mois plus tôt, ils avaient repris la vie commune, à Evanston. Les parents McCrory et leur fils Spencer étaient venus passer le week-end. Ils devaient tous aller au théâtre et ensuite au restaurant. Mais Gordon avait eu un empêchement de dernière minute — un rendez-vous d'affaire.

Alors, Madeline avait emmené Bill, Beverly et Spencer dans sa voiture. Ils étaient rentrés tard et ses beaux-parents avaient préféré se retirer aussitôt dans leur chambre, installée dans un pavillon au fond du jardin.

— Quelle nuit merveilleuse! avait déclaré Spencer. Avant d'aller au lit, je vais faire un tour sur la plage.

Et Madeline n'avait pas résisté à l'envie de l'accompagner.

La promenade dura une heure, environ. Lorsqu'ils revinrent, Madeline vit la voiture de Gordon garée dans l'allée, mais toutes les lumières de la maison étaient éteintes. Pensant qu'il dormait, elle pénétra sur la pointe des pieds dans la chambre à coucher. Personne! Elle parcourut toutes les pièces. Toujours pas de Gordon!

Enfin, des bruits sourds lui parvinrent du gymnase aménagé au sous-sol. Saisie d'une étrange frayeur, elle y descendit.

Encore vêtu de son costume de ville, Gordon frappait rageusement le punching-ball. Dès qu'il l'aperçut, il s'exclama:

— Où étais-tu?

— Tu le sais très bien, au théâtre avec ta famille.

— Il y a plus d'une heure que je suis rentré. Je t'ai cherchée partout… ta voiture était au garage.

Madeline haussa les épaules.

— Je me promenais sur la plage, avec Spencer.

Le visage de Gordon s'empourpra. L'air menaçant, il s'avança vers elle.

— A présent, tu me trompes avec mon frère! Jusqu'où iras-tu pour me ridiculiser?

— Ecoute, Gordon, ne sois pas stupide! Quel mal y a-t-il…

Lentement, elle commença à remonter l'escalier. Dans son trouble, elle trébucha sur la dernière marche. Gordon la rejoignit d'un bond, la toisa avec un ricanement.

— Ainsi, Spencer a fini par obtenir ce qu'il voulait, jeta-t-il.

Terrorisée, Madeline s'agrippa à la poignée et réussit à pousser la porte.

— Oh, non ma chère, tu ne t'en tireras pas aussi facilement! gronda Gordon en la prenant à bras-le-corps.

Et le cauchemar recommença! Mais, cette fois, quelqu'un entendit ses cris. Son beau-père surgit de l'ombre, s'immobilisa à quelques mètres, au bord de la pelouse. Cependant, à la stupéfaction de Madeline, il n'esquissa aucun geste pour arrêter son fils.

L'intolérable supplice se poursuivit. Les minutes s'écoulaient, dans une agonie de souffrance et d'humiliation. Et puis, Spencer survint. Ignorant les

238

injonctions de son père qui lui ordonnait de se tenir à l'écart, il força Gordon à la lâcher.

Ce fut Spencer qui l'emmena chez Kara, qui repartit chercher ses affaires personnelles et les lui ramena. Par la suite, il s'arrangea pour que Ted la recueille dans son appartement... par mesure de sécurité, au cas où Gordon tenterait de la faire revenir.

Un beau jour, Spencer disparut. Et, depuis lors, il n'avait plus donné de nouvelles.

Sa colère passée, Gordon comprit que Madeline ne réintégrerait pas leur foyer. Alors, il eut recours à sa technique habituelle: le mensonge. Pour se justifier, il l'accusa de l'avoir trompé avec Spencer, avec Ted... Il parvint à convaincre son entourage... et se piégea lui-même! A moins de paraître un mari complaisant, il ne pouvait plus refuser le divorce que Madeline réclamait.

Naturellement, il tenta de la dissuader en imposant des conditions financières exorbitantes. Mais elle n'en avait cure! Etre libre, débarrassée de lui, cela seul importait à ses yeux.

Le divorce enfin prononcé, elle loua un appartement. Une semaine plus tard, Gordon frappait à sa porte. Il était ivre. A l'entendre, le divorce ne comptait pas. Il la désirait et prétendait faire valoir ses droits sur elle. S'ensuivit une scène affreusement pénible!

A la fin, Madeline le mit à la porte, menaçant d'alerter la police s'il s'obstinait à l'importuner.

Deux heures après, elle reçut un appel téléphonique. La voiture de Gordon avait quitté la route, heurté un arbre de plein fouet. Il était mort sur le coup...

La jeune femme se prit la tête entre les mains. Une immense détresse l'envahissait. Etait-elle vraiment incapable de connaître le bonheur ? Quel avenir pouvait-elle espérer avec Adam Crawford ? Lui aussi était jaloux, impulsif, voire coléreux. Ne se préparait-elle pas à commettre une nouvelle erreur ?

Pourquoi avait-il quitté la conférence de presse, si ce n'était sous le coup de la colère ? Jamais il n'accepterait qu'elle redevienne une grande vedette de la chanson !

Inutile de tergiverser plus longtemps. C'était tout réfléchi : il fallait fuir avant qu'il soit trop tard.

En hâte, elle remplit un sac de voyage, dégringola les escaliers, franchit en trombe la porte de la cuisine... et se trouva nez à nez avec Adam.

— Où vas-tu ? l'interrogea-t-il d'un ton glacial, les yeux rivés sur son bagage.

— Euh... Chez les Winslow. La soirée n'est pas terminée et...

— Ça m'étonnerait. J'ai téléphoné il y a une heure, environ, pour demander à quelle heure tu reviendrais. Tout le monde partait se coucher !

D'un ton volontairement dégagé, Madeline rétorqua :

— De quel droit contrôles-tu mes faits et gestes ? D'ailleurs, je ne te dois aucune explication... Je sors, un point c'est tout !

240

— Dire que je me suis morfondu une partie de la nuit à t'attendre !

— Puisque tu te languissais tant de moi, pourquoi as-tu disparu si vite ? Pourquoi n'es-tu pas venu chez les Winslow ?

— Parce que j'étais tellement furieux que je craignais de provoquer un esclandre, figure-toi. J'ai préféré attendre d'être seul avec toi pour discuter calmement.

Les pires appréhensions de Madeline se trouvaient confirmées.

— Mieux vaut ne pas te mêler de mes affaires, Adam.

— Tout ce qui te concerne m'intéresse, riposta-t-il. Viens avec moi jusqu'au débarcadère. Nous allons régler cette question une fois pour toutes.

— Ecoute, Adam, je suis fatiguée après cette journée épuisante. Je n'ai aucune envie de discuter avec qui que ce soit. Que cela te plaise ou non, Melody Richards est une part de moi-même et personne ne me fera renoncer à ma carrière.

Adam secoua tristement la tête.

— Tu ne me laisses donc même pas une chance pour m'expliquer ! Tu t'imagines déjà savoir tout ce que je ressens, c'est bien cela ?

— Exact ! Je devine la moindre de tes réactions... parce que j'ai déjà vécu les mêmes scènes. Crois-tu que je n'aie pas remarqué ton irritation, tout à l'heure, dans les coulisses ? Tu me désapprouves, cela crève les yeux ! Dans ces conditions, il n'y a plus à discuter. Je te répète que je suis fatiguée...

Avant qu'elle ait pu l'en empêcher, il agrippa son sac et le jeta violemment contre la porte de la cuisine. Le bruit réveilla Brandy qui sortit de la grange en gémissant.

— Couchée! cria Adam.

Domptée, la chienne se recroquevilla sur le sol.

— A présent, tu vas m'écouter, reprit-il d'un ton plein de rage contenue. Oui, je veux te dire ce que je pense de Melody Richards. Oui, je veux te dire ce que j'éprouvais quand elle chantait sur la scène, quand elle tenait tête aux journalistes... Et puis, lorsque tu m'auras écouté, je te forcerai à répondre à toutes les questions que je souhaite te poser depuis un mois. Oh, je suis conscient du risque. Peut-être me haïras-tu parce que j'exige de savoir les raisons de ton comportement. De toute manière, je n'ai plus grand-chose à perdre... Tu ne m'as jamais aimé!

Il marqua une pause, puis poursuivit en baissant la voix:

— J'ai fait tout ce que j'ai pu, je me suis montré patient et compréhensif dans l'espoir que tu te confierais à moi. Peine perdue! Ta froideur et ton détachement me rendent fou. Je t'aime, bon sang! Mais comment puis-je te le prouver quand tu me traites comme un étranger qui ne mérite pas tes confidences? Tu tiens à savoir pourquoi je n'assistais pas à ta maudite soirée? Pourquoi j'ai demandé à quelle heure tu reviendrais? Alors, suis-moi au bord de l'eau et tu verras!

Sur ce, il la prit par le cou et l'entraîna sur le

sentier du lac. Saisie d'une panique indescriptible, Madeline se débattit farouchement. Après une courte lutte, elle parvint à se libérer et courut vers les bois.

L'espace d'un instant, Adam demeura figé de stupeur. Puis, il s'élança à sa poursuite.

— Attends, Madeline ! Reviens !

Mais Madeline ne l'entendait plus. Le souffle court, elle fuyait aveuglément, fuyait la terreur sans nom qui l'étreignait…

Enfin, son pied buta contre une souche, elle tomba. Une seconde plus tard, Adam la rejoignit. Sa haute silhouette la dominait, menaçante.

— Es-tu devenue folle ? hurla-t-il en se penchant sur elle et en la secouant par les épaules.

Epouvantée, la jeune femme se protégea le visage avec ses mains et cria d'une voix rauque :

— Non, Adam ! Non, je t'en supplie…

Instantanément, il recula. Un silence pesant s'installa, entrecoupé par la respiration haletante de Madeline. A la fin, il murmura :

— De quoi avais-tu peur, Madeline ?

Elle tressaillit violemment lorsqu'il s'agenouilla à son côté.

— Je voulais juste t'aider à te relever. Croyais-tu donc que j'allais te… frapper ?

Pas de réponse.

— Mais pourquoi ? Pour qui me prends-tu ?

Soudain, il se raidit, comme paralysé d'horreur.

— Oh mon Dieu ! souffla-t-il. C'était ton cauchemar, n'est-ce pas ? « Non, non, je t'en supplie ! »…

D'une main tremblante, il lui écarta les cheveux, effleura sa tempe.

— D'où vient cette cicatrice, Madeline ?

La gorge nouée, la jeune femme ne parvenait pas à parler. Un flot de larmes lui inondait les joues. Lentement, précautionneusement, Adam la prit dans ses bras, la berça tout en lui chuchotant des paroles apaisantes. Quand elle fut un peu calmée, il insista :

— Maintenant, tu vas tout me raconter au sujet de Gordon.

— Non, impossible... Ce sont des souvenirs trop pénibles... Je n'ai pas envie de les revivre.

— Tu ne vois donc pas qu'ils te tourmentent chaque jour de ta vie ? Est-ce cela qui t'empêche de m'aimer ?

— Mais je t'aime, Adam. Tu ne peux pas l'ignorer !

— Si, je l'ignorais... jusqu'à cette minute. Pour quelqu'un qui compose des chansons d'amour, tu es curieusement inapte à exprimer les sentiments les plus simples.

Avec un sourire tendre, il sécha une larme qui roulait sur sa joue.

— N'aie pas honte de pleurer, Madeline. Quand nous serons mariés, tu auras peut-être d'autres occasions d'être bouleversée.

A ces mots, Madeline se dégagea de son étreinte et le dévisagea, l'air stupéfait.

— Je ne t'épouserai pas, Adam. Maintenant que tu connais la vérité, tu dois bien comprendre que je ne suis pas faite pour le mariage.

— Mais, ce n'était pas ta faute, protesta-t-il.

— Je ne veux pas courir le risque de revivre un pareil cauchemar.

— Tu ne le revivras pas.

— Qu'en sais-tu?

— Je te connais et je me connais, Madeline. Mon seul but est de ne plus te quitter et de t'adorer jusqu'à la fin de mes jours.

— C'est exactement ce que disait Gordon. Je ne veux plus être un objet d'adoration pour un homme, quel qu'il soit.

Adam tenta de l'attirer dans ses bras, mais elle le repoussa. D'une voix angoissée, il l'implora:

— Je t'en prie, Madeline, dis-moi que ce n'est pas vrai. Je souffre trop... Jamais je n'aurais cru possible de souffrir à ce point!

— Je t'avais prévenu, murmura-t-elle en retenant ses larmes. Tu n'as pas voulu m'écouter.

— Mais je t'aime ...tu m'aimes... Pourquoi n'as-tu pas confiance en moi? Pourquoi n'as-tu pas confiance en *toi*?

— Parce que j'ai peur... Je regrette, Adam, mais l'amour ne suffit pas.

Il se releva et la considéra en silence, atterré. Enfin, les poings crispés, il déclara:

— Puisque c'est ainsi, il vaut mieux que je retourne à Madison. J'enverrai mon assistant pour me remplacer jusqu'à ce que je trouve à me loger dans la région. Tant que les moissons ne seront pas terminées, j'aurai besoin de passer ici de temps à autre.

Madeline acquiesça en silence. Il la contempla de nouveau avant d'enchaîner :

— J'aimerais te poser une dernière question, Madeline. Une seule question. Ne me réponds pas tout de suite... Prends le temps de réfléchir.

— Oui, Adam ?

— Eh bien voilà, c'est simple. Puisque l'amour ne suffit pas, que te faut-il de plus ?

Sans ajouter un mot, Adam tourna les talons. Pétrifiée, Madeline le regardait s'éloigner dans la nuit. Ensuite, le front posé sur ses genoux, elle éclata en sanglots.

16.

Le lendemain, tard dans l'après-midi, le téléphone sonna. Contre toute logique, Madeline espéra qu'il s'agissait d'Adam.

— Allô? fit-elle d'une voix mal assurée.

— Alors, raconte!

— Oh, c'est toi, Kara...

— Oui, c'est moi, ton amie d'enfance. Et j'exige que tu me dévoiles tous les détails de ta nuit romantique.

— Que veux-tu dire? Je n'y comprends rien!

— Tu n'as pas vu Adam, hier soir?

— Si.

— Eh bien, que s'est-il passé entre vous?

— Je préfère ne pas en parler.

— Oh, Madeline! Je parie que tu as tout gâché! Jamais je ne t'aurais crue stupide à ce point.

— Que me reproches-tu, à la fin? Il était évident qu'Adam n'apprécierait pas mon retour à la scène.

— Il te l'a dit?

— Ce n'était pas la peine, je l'ai vu dans ses yeux. D'ailleurs, rien qu'à la manière dont il avait quitté la conférence de presse, j'avais compris qu'il était fou de rage.

— Tu te trompes, ma chère. Justement, j'ai rencontré Adam après cette fameuse conférence de presse. Il faisait peine à voir. Il souhaitait t'aider, mais estimait préférable de ne pas intervenir. Alors, indigné par les insinuations perfides des journalistes, il est parti, craignant de commettre un acte de violence qu'il aurait regretté ensuite.

— Pourquoi ne m'en a-t-il pas parlé?

— L'aurais-tu écouté? L'as-tu seulement écouté, hier soir? Je suis sûre du contraire.

— Je te trouve bien affirmative! Il existe pourtant d'autres éventualités. Par exemple, qu'il n'accepte pas l'idée de me voir chanter de nouveau en public.

— Impossible! Hier soir, il ne tarissait pas d'éloges sur ton talent. Et il espère fermement que tu n'abandonneras plus jamais le métier.

— Parce qu'il ignore ce qui l'attend!

— Peut-être, mais il ne demande qu'à le découvrir. Ecoute, Madeline, son but est de te rendre heureuse.

— Il m'aurait rendue heureuse en venant à la réception. J'avais terriblement besoin de lui.

— Nous en avons discuté. Il craignait de te gêner, de se sentir inutile. Alors, il a eu une idée merveilleusement romantique. Il m'a dit: « Je vais porter une bouteille de champagne au bord du lac.

Dès son retour, j'emmènerai Madeline en canot et nous irons la boire au clair de lune, dans un lieu féerique où naquit autrefois une légende.

— Il a dit ça?

— Je te le jure. Mais toi, lui as-tu laissé une seule occasion de s'exprimer?

— Euh... non, avoua Madeline.

— Je m'en doutais! Tu étais trop occupée à le comparer à Gordon pour lui permettre de te prouver à quel point il est différent de lui.

— Il lui ressemble comme un frère: sous des dehors charmants, il cache une nature jalouse et violente.

— C'en est trop, Madeline! Il est grand temps que tu mesures les conséquences de ton attitude envers Adam; des dégâts qu'a causés ton obstination à t'entourer de mystère. Adam m'avait demandé de ne pas te le révéler, mais tant pis... Jusqu'à l'instant où tu es apparue sur scène, il ignorait que tu étais Melody Richards.

— Ce n'est pas possible!

— Vraiment?

— Ecoute, il fréquente les McCrory depuis des années. Ils n'ont pas pu ne pas aborder le sujet devant lui.

— Tu m'as raconté toi-même qu'Adam entretenait peu de relations avec ta belle-famille avant ton divorce. Par la suite, Bill n'avait pas intérêt à lui apprendre que tu étais une vedette célèbre, assez fortunée pour s'offrir tous les lacs de la région. Il préférait le persuader que tu t'apprêtais à lotir Willow Shores.

— Je n'arrive toujours pas à le croire !

— Pourtant c'est vrai. Et te rends-tu compte de ce qu'a dû éprouver Adam en te découvrant sur l'estrade ? Au lieu de s'insurger, de t'accuser de duplicité, il a cherché une explication logique à ton silence.

— En a-t-il trouvé une ?

— Oui... Que tu pensais qu'il était au courant depuis le début.

— Ce qui est la stricte vérité.

— D'accord, mais dans la situation inverse, lui aurais-tu fait assez confiance pour parvenir à la même conclusion ? N'était-il pas en droit de se sentir un peu désorienté devant l'agitation qui régnait en coulisses ? Sais-tu qu'il avait peur de t'approcher car c'était la première fois qu'il rencontrait une vedette ! Imagine la réaction de Gordon dans un cas semblable.

— Mais pourquoi m'a-t-il caché qu'il ignorait mon pseudonyme ? Et pourquoi te prier de ne pas m'en parler ?

— Parce qu'il ne voulait pas te bouleverser juste après le spectacle ! Il jugeait préférable d'attendre que vous soyez seuls, tous les deux, pour en discuter en toute quiétude. Réveille-toi, Madeline ! Cet homme est rare. Si tu ne te décides pas rapidement, tu risques de le perdre.

— C'est déjà fait.

— Lui as-tu raconté... à propos de Gordon ?

— Il a compris de lui-même.

— Et alors ? Pour l'amour du ciel, Madeline, que s'est-il passé ?

— Il… a parlé de mariage.

— Ensuite?

— Ensuite, je lui aı dit que je ne l'épouserais jamais car j'ai trop peur… Oui, Kara, j'ai peur de retomber dans le même engrenage de violence et de jalousie. J'en ai trop souffert … Après, il est parti.

— L'aimes-tu?

— Oui, admit Madeline d'une voix presque inaudible. Oh mon Dieu, oui, je l'aime… Jamais je n'aurais cru possible d'aimer autant quelqu'un. Mais là n'est pas la question.

— Ah bon? Je dois être idiote… j'ai toujours pensé que c'était justement la question principale! Enfin, Madeline, réfléchis une seconde. Tu sais que j'aime Ted et que nous allons nous marier. Crois-tu qu'à peine la cérémonie terminée, il commencera à me maltraiter?

— Bien sûr que non.

— Crois-tu que Denny va maltraiter Mada Lynn?

— Non, mais…

— Mais *quoi*? Dis-toi que Gordon était un cas à part, un malade… Malheureusement, tu refuses de l'admettre.

— Arrête, Kara, je t'en supplie! murmura Madeline, les yeux brouillés de larmes.

— Désolée, ma petite. Je t'aime trop pour ne pas tenter de te sauver malgré toi. Tu es belle, sensible, généreuse. Tu mérites de connaître l'amour. Pourquoi un homme tendre et pacifique comme Adam se transformerait-il soudain en une bête sauvage?

— Comment savoir d'avance qu'il est réellement tendre et pacifique?

— Si tu l'aimes, tu dois courir le risque. Je t'en prie, Madeline, ne renonce pas à un amour pareil... Tu ne t'en consolerais jamais!

— Trop tard, le mal est fait et je dois en subir les conséquences. En revanche, je ne veux pas imposer mes problèmes à Adam. Ce serait déloyal. Je me crois incapable de le rendre heureux.

— Cesse donc de te prendre pour une martyre! Madeline eut l'impression de recevoir une gifle.

— Hé, doucement!

— Pardonne-moi, murmura Kara. Je ne voulais pas te faire de la peine. Mais, au moins, j'ai presque réussi à te mettre en colère.

— C'est bizarre, on dirait que tout le monde souhaite me voir sortir de mes gonds.

— Si tu t'autorisais de temps en temps à te mettre en colère, tu n'en aurais peut-être pas aussi peur.

— Gordon s'en autorisait assez, merci bien!

— Je te répète que ton mari n'était pas normal. Et tu aurais dû te révolter. L'as-tu jamais essayé?

— Non. J'étais beaucoup trop effrayée et traumatisée.

— Eh bien, maintenant, réfléchis! Te rends-tu compte à quel point Gordon a gâché ta vie, à quel point il a compromis ton avenir? Si, après cela, tu n'éprouves aucune colère, alors tu...

— Alors, je t'appellerai pour que tu me fasses un beau sermon.

— Tu ne m'en veux pas, j'espère?

— Non, rassure-toi. Mais, écoute, je ne me prends pas pour une martyre. Je m'efforce simplement d'être réaliste. Jamais je ne pourrai oublier le passé. Et ma célébrité m'exposera toujours aux calomnies. Voilà pourquoi je ne peux pas épouser Adam. Je ne veux pas que, par ma faute, il perde son sourire et son regard chaleureux.

— Ne crains-tu pas qu'il soit déjà trop tard? Il t'aime et tu es en train de lui briser le cœur!

— Si, je le crains... Mais j'espère me tromper.

Les deux amies échangèrent encore quelques mots avant de raccrocher. Immobile, les yeux dans le vague, Madeline demeura longtemps assise devant le téléphone.

Quel terrible malentendu, la veille au soir! Pauvre Adam, si elle s'était doutée de son état d'esprit, elle l'aurait laissé parler. Mais, de toute façon, pas question de l'épouser! Comme le disait Kara, cet homme était rare. Il méritait mieux qu'une femme comme elle.

Certes, il souffrirait. Et puis, à la longue, il l'oublierait. Quant à elle, il lui restait sa carrière, grâce à Dieu. C'était plus qu'elle n'osait espérer lors de son installation à Willow Shores.

Alors, pourquoi éprouvait-elle cet étrange sentiment d'insatisfaction?

Avec un soupir, Madeline referma le livre de

cuisine, en prit un autre. Pas le courage de l'ouvrir ! Elle s'appuya contre le dossier de son siège, contempla la pluie qui tombait à verse. Ah si seulement le mauvais temps était seul responsable de sa mélancolie ! Si seulement son sourire devait revenir avec le soleil !

Dire que, durant ces deux dernières semaines, tout le monde la félicitait ! « Comme tu dois être heureuse de ton éclatant succès ! » lui répétait-on à tout bout de champ.

Certes, les propositions affluaient : spectacles, interviews, émissions de télévision. Il n'y avait que l'embarras du choix. Au grand désespoir de Matt, elle s'offrait le luxe de refuser certains contrats. Ces années passées dans l'anonymat lui avaient appris l'importance de préserver sa vie privée.

Du doigt, elle feuilleta le livre de recettes... Un magazine féminin prévoyait un article sur les desserts préférés des stars. Hélas, ce n'était pas ce genre d'occupation qui comblerait le vide de son existence !

Depuis le départ d'Adam, Madeline souffrait cruellement de sa solitude. Le souvenir d'Adam la poursuivait partout, dans la maison, dans les bois, au bord du lac. Ce jour-là, ainsi qu'il le faisait parfois, il était venu à la ferme afin de travailler avec ses élèves. Comme toujours dans ce cas-là, Madeline terminait sa journée dans la morosité.

Chaque matin, elle essayait de se persuader que son chagrin irait en diminuant. Par malheur, c'était le contraire qui se produisait... et sa détresse ne faisait qu'empirer. Elle n'avait plus goût à rien. Ecrire des chansons, composer des mélodies ne la passionnaient plus.

Peu à peu, des cernes ombraient ses yeux. Elle ne mangeait plus, ne dormait plus, ne travaillait plus. Bravo! A ce rythme, Madeline ne donnait pas cher de sa peau.

La tirant de ses tristes pensées, la sonnette de l'entrée résonna tout à coup. Madeline ne bougea pas. Certainement un importun, se dit-elle, un journaliste fureteur ou un fan obstiné. Tous ses amis et connaissances prenaient la précaution de s'annoncer par téléphone avant de lui rendre visite.

Une deuxième fois, la sonnette retentit. Sur la pointe des pieds, Madeline alla jeter un coup d'œil par la fenêtre. Impossible d'apercevoir l'intrus! Mais soudain un éclair zébra le ciel chargé de nuages, la pluie redoubla de violence. Peut-être le mystérieux visiteur cherchait-il du secours? Et elle traversa le vestibule, entrouvrit la porte.

Un homme commençait à s'éloigner... Grand, mince, tout vêtu de noir. Comme il n'avait pas de parapluie, sa chemise trempée lui collait à la peau. Des gouttelettes brillaient dans sa chevelure sombre. Quelque chose de familier dans sa démarche alerta Madeline.

— Monsieur, finit-elle par appeler. Puis-je vous aider?

L'étranger se retourna, un sourire aux lèvres.

— Spencer!

Les poings sur les hanches, il lui adressa un clin d'œil amical.

— Eh bien, ma douce... Depuis le temps!

Sans se soucier du déluge, Madeline courut se jeter à son cou. Alors qu'il la soulevait de terre, des larmes de bonheur embuèrent ses yeux bleus. Elle avait toujours adoré Spencer, le considérait comme son frère.

— Que... que fais-tu ici? s'enquit-elle lorsqu'il la redéposa sur le sol.

— Ma foi, rien de spécial.

La tête levée vers le ciel, il ajouta:

— Par cette belle journée ensoleillée, j'ai pensé qu'une promenade s'imposait. Sans savoir comment, je me suis retrouvé devant ta maison.

— Hum...

— Sois gentille, invite-moi à me mettre au sec.

Elle lui entoura la taille et s'esclaffa.

— Je n'ai jamais su te dire non! Pourtant, avec tout ce qui s'est passé, je devrais être immunisée contre le fameux charme des McCrory!

Après une seconde d'hésitation, Spencer murmura:

— Tant mieux si tu es capable de plaisanter sur ce sujet! C'est bon de te revoir, tu sais!

Comme autrefois, il s'amusa à lui ébouriffer les cheveux.

— Moi aussi, je suis contente de te revoir! Mais vas-tu enfin m'expliquer le but de ta visite?

— Eh bien voilà, après tout le tapage qu'on a fait autour de ta rentrée dans le monde du spectacle, j'ai éprouvé le besoin de venir te dire un petit bonjour. J'avais le pressentiment que tu m'appelais au secours... et j'ai sauté dans le premier avion.

— Sérieusement, Spencer !

— Sérieusement, j'avais envie de te voir. En fait, je ne me trompais pas... Tu es dans un triste état. Quelle mine épouvantable !

— Le tact n'a jamais été ton fort ! riposta Madeline avec un sourire qui démentait ses paroles. Tu n'as pas trop belle allure non plus ! Regarde-toi, tu es trempé ! Que dirais-tu d'une bonne douche chaude ? Tu peux mettre tes vêtements à sécher dans la buanderie, à côté de la salle de bains. Il y a des peignoirs dans le placard. Je t'attendrai au salon, nous boirons à nos retrouvailles !

Un quart d'heure plus tard, Spencer la rejoignit, propre et détendu.

— Un scotch ? proposa-t-elle.

— Parfait ! s'exclama-t-il en s'installant sur le canapé.

Elle remplit deux verres, lui en offrit un.

— Viens t'asseoir à côté de moi, ma belle, et raconte tes ennuis à ce vieux Spencer.

Madeline obéit. Ils étaient des amis de si longue date qu'elle estimait tout naturel de le voir là, dans sa maison, uniquement vêtu d'un peignoir et sirotant un whisky. Lovée sur les coussins, elle répliqua :

— D'abord, qui te dit que j'ai des problèmes ?

— J'ai examiné les photos prises juste après le concert. Tu paraissais au comble du bonheur alors que, maintenant, tu ressembles plutôt à la statue de la désolation. Et puis, je loge chez les Winslow. A mon arrivée, Kara et Denny étaient absents mais leur père m'a conseillé de passer chez toi le plus rapidement possible.

— T'a-t-il précisé pourquoi ?

— Je me suis bien gardé de le lui demander ! Je compte repartir après la fête du maïs. Si j'avais attendu qu'il me relate l'histoire à sa façon, non seulement j'aurais manqué mon avion, mais la compagnie aérienne n'aurait probablement plus existé !

— C'est un original.

— Oui, et un type formidable.

La jeune femme secoua tristement la tête.

— La fête du maïs n'aura lieu que dans une quinzaine de jours. Comment pourras-tu éviter de rencontrer tes parents alors que tu demeures dans le village ?

— Bonne question ! s'écria Spencer avec un large sourire. Tiens-toi bien, mon cher père a brusquement décrété que la campagne l'ennuyait. Il a plié bagages et a regagné la Floride. D'après Eleanor, sa maison est à vendre.

— Pas possible ! Il serait parti comme ça, sans crier gare ? A mon avis, il prépare un mauvais coup !

— Pour une fois, je ne le pense pas. Eleanor m'a fait comprendre qu'ils s'étaient violemment querellés, tous les deux. De toute évidence, elle se réjouit de son départ.

— Moi aussi, naturellement. A quel sujet ont-ils bien pu se disputer, je me le demande.

— A ton sujet, évidemment ! D'ailleurs, ma tante a l'intention de t'appeler.

— Oh, non !

— Tu as tort de te tourmenter. Elle a toujours eu un sens très aigu de la justice. Puis-je lui dire que tu acceptes de lui parler ?

— Bon, d'accord, concéda la jeune femme avec un haussement d'épaule désabusé.

Elle but une gorgée de scotch, puis enchaîna :

— Tu me manquais, tu sais. Je pensais souvent à toi... Kara et Denny refusaient de me dire où tu étais.

— C'est moi qui le leur défendais.

— Mais pourquoi ?

— C'est une longue histoire.

A nouveau, Spencer se pencha pour lui ébouriffer les cheveux.

— Au début, poursuivit-il, je craignais de raviver tes blessures. Après tout ce que tu avais souffert à cause de ma famille, je ne voulais pas t'imposer la présence d'un McCrory.

Il soupira, fit tourner son verre entre ses doigts.

— En réalité, je me sentais tellement coupable que je redoutais une confrontation avec toi.

— Coupable ! De quoi, mon Dieu ? C'est toi qui m'as le plus aidée.

— Je t'aurais aidée beaucoup plus efficacement en te révélant le secret honteux des McCrory. Oui, Madeline, mon père bien-aimé, cet homme respecté de tous, battait sa femme depuis des années.

Le souffle coupé, elle balbutia :

— Quoi ? C'est inconcevable ! Enfin, Spencer, je m'en serais aperçue depuis le temps que je fréquentais ta famille.

— Mon cher père était beaucoup trop habile pour se laisser surprendre. Souviens-toi comme il a su dresser Gordon. Jamais on ne l'a soupçonné.

Les yeux gris de Spencer prirent la couleur de l'acier.

— Oh, ils s'entendaient à merveille, tous les deux, acheva-t-il. Gordon s'accommodait fort bien de la situation. Pas moi, hélas! Tu ne peux imaginer la haine que je voue à mon père.

— Pourquoi ne m'as tu pas avertie?

— En premier lieu, parce que j'espérais que Gordon et moi n'hériterions pas de la brutalité paternelle.

— Tu n'en as pas hérité, Spencer. Tu le sais.

— Maintenant, je le sais. Autrefois je n'en étais pas aussi certain. Et puis, il y avait autre chose... Je croyais être un peu amoureux de toi. J'hésitais à te mettre en garde contre Gordon, ne sachant si c'était pour te protéger ou pour te voler à mon frère.

— Moi aussi, je t'aime, murmura Madeline en posant sa main sur celle de Spencer. Mais d'une autre sorte d'amour.

— Rassure-toi, je suis guéri. Même le jour de ton mariage, je n'étais pas envieux. Tu paraissais rayonnante et je formais des vœux pour ton bonheur.

Il se leva afin de se resservir un deuxième scotch, puis ajouta d'une voix altérée:

— Mon pauvre petit, je crains au contraire d'avoir contribué à ton malheur. Pourtant, je connaissais le caractère jaloux de Gordon. Au lieu de me méfier, je t'ai entraînée dans cette promenade sur la plage. Quelle stupidité! Ah, comme je me le suis reproché lorsque j'ai entendu mon frère hurler que tu le trompais avec moi! De toute ma vie, je n'oublierai cette scène terrible...

— Tu n'as rien à te reprocher, Spencer. Gordon a saisi le prétexte de notre promenade mais, à défaut de celui-là, il en aurait trouvé un autre. C'était dans sa nature, voilà tout. Ce n'est la faute de personne.

— En es-tu fermement convaincue? Après toutes ces années, as-tu enfin compris que rien n'était de ta faute?

— Oh, oh, je devine que tu en as discuté avec Kara!

— Tu devines juste. Je n'ai jamais cessé de prendre de tes nouvelles. Maintenant, je te repose la question: es-tu réellement persuadée que tu n'étais en rien responsable du comportement brutal de ton mari?

— Je ne sais pas. Par moments, je le crois. Et puis, un détail, une parole maladroite... et mes anciennes frayeurs resurgissent; de nouveau, je me sens coupable. Non, Spencer, je ne pourrai jamais oublier complètement le passé.

— Personne ne te le demande... du moment que tu reconstruis ton avenir. J'ai été très heureux d'apprendre que tu vas recommencer à chanter en public. C'est la preuve que tu as remporté une victoire sur toi-même.

— Tu crois?

— Absolument, fit Spencer. A présent, il te faut trouver l'homme idéal, ajouta-t-il avec un clin d'œil. La chaleur d'un foyer, une ribambelle d'enfants, et tu oublieras jusqu'au nom de mon frère.

Madeline considéra le glaçon en train de fondre dans son verre, s'amusa à le remuer.

— Puis-je connaître ta conception de l'homme idéal? s'enquit-elle.

— En tout cas, ce n'est pas moi! affirma Spencer en riant. Je suis trop instable. Non, tu mérites mieux que moi.

— Mmmm... Que dirais-tu d'un individu qui voit toujours le bon côté des choses, qui adore sa famille et la vie en général, qui aime plaisanter.

— Pas mal. Mais cet être parfait n'existe pas, mon chou. D'ailleurs, s'il existait, tu t'ennuierais à mourir en sa compagnie.

Sur ce, il s'empara de son verre et enchaîna d'un ton péremptoire:

— Arrête de remuer ce glaçon. Parle-moi plutôt de ce mystérieux personnage. Seulement je te préviens, si c'est lui qui t'a mise dans un état pareil, il risque fort de me déplaire.

— C'est ma faute, pas la sienne... Au fait, tu as dû le rencontrer, autrefois. Adam Crawford... Il était au Viêt-nam avec Warren.

Les yeux rivés sur la jeune femme, Spencer observa un long moment de silence. Enfin, pesant ses mots, il répondit:

— Oui, je le connais. Et je le détestais. Mais tu

te trompes, en le prenant pour un homme gai et insouciant. Au contraire, il a subi une terrible épreuve... il a beaucoup souffert. Comment ne l'as-tu pas deviné?

Frappée de stupeur, Madeline s'efforça de rassembler ses esprits. Elle revoyait le sourire d'Adam, son éternel sourire, confiant et chaleureux. Peu à peu, certains détails lui revinrent à la mémoire. De petites réflexions qui l'avaient intriguée, en particulier dans la grotte, et puis au cours d'un repas.

— Que sais-tu de lui, Spencer? Et pourquoi le détestes-tu?

— Je ne le déteste plus. J'aurais plutôt tendance à le plaindre. Mais, à une époque, je le haïssais, je souhaitais le tuer de mes propres mains. Vois-tu, j'adorais mon frère Warren, le seul membre de la famille qui me manifestait de l'affection, qui me protégeait toujours. Et puis voilà qu'Adam Crawford se présente à la maison et nous déclare que Warren est mort par sa faute. Au lieu de lui en vouloir, figure-toi que mon père l'a pris en amitié. Oui, il tapait sur l'épaule de celui qui avait tué mon frère, lui assurait que seule la fatalité était responsable de ce drame. Il lui répétait: « Ressaisis-toi, mon garçon, tu ne vas pas te reprocher cette affaire toute ta vie. »

Spencer ferma les yeux, se renversa en arrière et poursuivit:

— Il battait sa femme et son fils, mais pour Adam Crawford, il n'éprouvait que compassion.

Enfin, Madeline s'expliquait l'amitié qu'Adam portait à Bill McCrory : ce dernier l'avait soutenu dans une période particulièrement difficile de son existence.

— Adam est-il réellement responsable de la mort de Warren ? s'enquit-elle dans un chuchotement à peine perceptible.

Les yeux toujours fermés, Spencer raconta d'une voix monocorde :

— Warren et Adam se trouvaient dans la même compagnie, au Viêt-nam. Apparemment, mon frère vouait une admiration éperdue à son camarade. D'après ses lettres, Crawford était un remarquable tireur d'élite. Pendant leur entraînement, il ne manquait jamais la cible. Seulement il se gardait de révéler à ses compagnons éblouis par son adresse qu'il n'avait jamais tiré sur une créature vivante, pas même un écureuil.

A présent, Spencer était penché en avant, les coudes sur les genoux, le regard fixe.

— Un jour qu'ils conduisaient ensemble un camion de ravitaillement, leur véhicule tomba en panne. Warren alla soulever le capot tandis qu'Adam montait la garde. On entendait des coups de feu dans le lointain, en revanche l'endroit paraissait désert. Soudain, Adam remarqua une ombre qui bougeait dans un fourré tout proche. Il agrippa Warren par les épaules et ils s'allongèrent sur le sol. Dans sa chute, mon maladroit de frère avait laissé échapper son fusil... qui gisait hors de sa portée.

Madeline retint son souffle.

— Mais Adam était en position de tir, prêt à utiliser son arme. Hélas, lorsqu'il aperçut « l'ennemi » qui avançait vers eux, il se sentit incapable d'appuyer sur la gâchette. Il s'agissait d'un enfant, un petit garçon âgé de dix ans, tout au plus. Warren le suppliait de tirer, mais il attendait que l'enfant approche, espérant pouvoir faire mouche sur le fusil qu'il tenait à la main. Alors, Warren perdit son sang-froid. Il se releva pour tenter de récupérer son arme... et reçut une balle dans la tête. Atterré, Adam laissa s'enfuir le garçonnet sans avoir la force de réagir. Quelques instants plus tard, Warren mourut dans ses bras.

Horrifiée par ce récit, Madeline chuchota :

— Et Adam s'estimait responsable de sa mort parce qu'il n'avait pas tué le petit garçon ?

— Oui, c'est à peu près ça. Par la suite, il songea à tout ce qu'il aurait dû faire : tirer en l'air afin d'effrayer l'enfant, par exemple, ou bien passer son fusil à Warren. Accablé de remords, il fit une dépression nerveuse. L'armée finit par le renvoyer aux Etats-Unis. A peine arrivé, il se précipita chez nous pour s'accuser et subir nos reproches.

— Lui en veux-tu encore ?

— Non. Maintenant je comprends son attitude. Il essayait de se comporter en être civilisé dans un univers de barbarie et de haine.

— Adam est d'un naturel très paisible.

— La dernière fois que je l'ai vu, il était plutôt d'un naturel anxieux ! affirma Spencer. S'il a réussi à te convaincre qu'il a traversé la vie sans encombres, bravo! Il est très fort.

— En effet, admit Madeline, l'air rêveur.

— Qu'est-ce qui n'a pas marché, entre vous?

— J'ai eu peur.

— Et alors? Cela n'a rien d'extraordinaire. Tout le monde a peur de l'amour. Eh oui, Madeline, l'amour rend vulnérable. Oui, l'amour est une aventure pleine de risques. Mais n'es-tu pas experte dans l'art de prendre des risques?

— Certainement pas!

— Tu l'étais, jadis. Rappelle-toi la petite fille de quinze ans qui, à elle seule, dirigeait le groupe qu'elle avait fondé. Faisant moi-même partie de ce groupe, je me souviens de son courage, de sa détermination à réussir. Avant notre premier concert public, nous étions tous terrorisés... sauf toi. Tu nous donnais l'exemple d'un sang-froid admirable, tu nous galvanisais.

— Vraiment? murmura la jeune femme avec un sourire nostalgique. Comment ai-je pu changer à ce point?

— Tout au fond de toi, tu n'as pas changé. Réfléchis! Pose-toi les questions essentielles: qu'attends-tu de la vie...? Quels sont tes objectifs...? Quel vide souhaites-tu combler...? Je parie que tu finiras par découvrir les réponses.

Un faible sourire flotta sur les lèvres de Madeline, car elle savait que Spencer avait raison.

— J'ai appris depuis longtemps qu'il ne faut jamais rien parier avec Spencer McCrory! ironisa-t-elle. As-tu toujours l'harmonica que je t'avais offert?

— Le voici, répondit-il en sortant l'instrument de sa poche. Oh, écoute, j'ai une idée! Je cours me rhabiller et après, je t'offre une sérénade au bord du lac. Regarde, le ciel se dégage, un magnifique arc-en-ciel se profile déjà à l'horizon.

— Formidable! Rien au monde ne me plairait davantage que cet intermède romantique.

A ces mots, Spencer renversa la tête en arrière et éclata d'un grand rire.

— Enfin! s'écria-t-il. Au bout de vingt-huit ans, je suis parvenu à prendre Melody Richardson en flagrant délit de mensonge!

17.

Le cœur lourd, Adam se gara derrière la longue file de voitures arrêtées devant Willow Shores.. En réalité, il n'avait aucune envie de participer à la fête du maïs, mais ses élèves s'étonneraient de ne pas l'y voir et lui poseraient des questions embarrassantes.

C'était par un bel après-midi de septembre, chaud et ensoleillé. Déjà, il entendait des rires et de la musique. Son malaise s'accentua. Comment supporter de voir Madeline dans son rôle d'hôtesse, au milieu de cette foule, bavardant avec ses amis, leur interprétant ses chansons ?

Non, décidément, mieux valait renoncer ! se dit-il en s'apprêtant à faire demi-tour. Soudain Tim Galloway accourut à sa rencontre, lui adressa un grand signe. Il portait une chemise à carreaux jaunes et une cravate bleu marine.

— Bonjour, Tim ! s'écria Adam en passant la tête par la fenêtre. Qu'est-ce que c'est que cette tenue ?

— Un uniforme, expliqua l'adolescent avec fierté. Mme Richardson a embauché tous les étudiants pour assurer le service d'ordre.

— J'espère que vous le faites gratuitement, après la façon dont elle vous a traités, répondit Adam.

Il pensait aux bourses que Madeline venait de financer au bénéfice d'un grand nombre de ses élèves — à celui de Tim en particulier.

— Vous ne la connaissez donc pas? Nous avons eu beau protester, elle a tenu à nous payer d'avance. Ah, on peut dire qu'elle est généreuse!

— Tu as bien changé, Tim. Il n'y a pas si longtemps, tu la détestais cordialement.

Sur ce, il ouvrit sa portière et s'apprêta à descendre de sa voiture.

— Non, monsieur Tim. Vous avez le droit de vous garer dans le hangar, là-bas.

— Bon, mais ne t'imagine pas recevoir de meilleures notes en me faisant cette faveur.

— Ce n'est pas moi... Instructions de Mme Richardson. Elle m'a chargé de guetter votre arrivée.

Tout en se rangeant dans son emplacement réservé, Adam ne put s'empêcher d'éprouver une petite joie furtive. Madeline l'attendait, elle avait donné des ordres à son sujet!

Il se fraya un chemin entre les bâtiments de la ferme et se dirigea vers l'ancienne grange. Revêtus de leurs chemises jaunes, plusieurs membres du « service d'ordre » surveillaient les allées et venues. Au moins, ils prenaient leur fonction au sérieux, nota Adam. Et, avec tout le tapage publicitaire fait autour de Melody Richards, c'était une bonne chose qu'ils fussent là !

Sur les innombrables photos parues dans la presse, Adam avait noté les yeux cernés de Madeline, son expression triste malgré le sourire de circonstance. Peut-être souffrait-elle autant que lui... en se sentant mauvaise conscience car il ne souhaitait que son bonheur. Mais elle lui manquait trop. Sans elle, l'existence n'offrait aucun attrait.

Parvenu devant la grange, il jeta un coup d'œil à l'intérieur. Une estrade était dressée, vide pour le moment. Dans un coin, une chaine stéréo diffusait de la *country music*. Un peu plus loin, un énorme tas de maïs non décortiqué. Adam retint un sourire en voyant un jeune homme se pencher et subtiliser un épi... rouge, sans doute !

Autour du buffet, un attroupement s'était formé. Emma et Sara le présidaient, cette dernière distribuant son fameux citron pressé. Sur le mur, un plan à grande échelle de la future plage publique. Très intéressés, les villageois discutaient avec animation. A en juger d'après leurs propos, ponctués par les exclamations sonores de Sara, le projet rencontrait leur chaleureuse approbation.

— Où est Madeline ? s'enquit quelqu'un auprès d'Emma.

Discrètement, Adam tendit l'oreille.

— A la maison, expliqua Emma. Elle a tout organisé pour que vous passiez un agréable après-midi à vous promener librement dans la propriété, à profiter du succulent buffet. En revanche, pour la soirée, de strictes mesures de sécurité seront prises. Notre vedette souhaite offrir à ses concitoyens un spectacle privé, interdit à la presse.

A peine Emma avait-elle terminé sa déclaration qu'une femme, très élégante, l'aborda.

— Tiens, bonjour madame Richardson ! s'exclama la gouvernante.

Surpris, Adam examina la nouvelle venue... réplique exacte de Madeline, en plus âgée : même silhouette élancée, même grands yeux bleus. Par contre, aucun fil d'argent dans ses cheveux de jais.

— Oh, bonjour, chère Emma. Quel plaisir de vous revoir après toutes ces années, déclara la mère de Madeline. Vous n'avez pas du tout changé, poursuivit Mme Richardson. D'ailleurs, ici rien n'a changé, ajouta-t-elle avec un soupir. Je me demande pourquoi je m'y déplaisais tant, autrefois. C'est un endroit agréable, après tout. Et tellement paisible ! Seigneur, je dois devenir romantique sur mes vieux jours !

L'espace d'un instant, Adam songea à se présenter. Puis il se ravisa. A part lui confier qu'il était amoureux de sa fille, il n'aurait su que lui dire !

Errant comme une âme en peine, il finit par aller s'asseoir sur la vieille balançoire, devant la porte de la cuisine. Une foule de gens entraient et sortaient, mais il se garda de bouger. Revoir Madeline constituait un supplice qu'il préférait repousser le plus longtemps possible.

Il entrevit beaucoup de visages familiers, des

habitants de la région et des fermiers des environs. Tous amis de Madeline — des gens qui l'avaient toujours connue, qui auraient pu lui révéler sa véritable personnalité s'il s'était seulement donné la peine de les interroger. Mais voilà, il avait cru aveuglément les infâmes calomnies de Bill.

Hélas, il était trop tard maintenant. Madeline ne lui pardonnerait jamais la manière dont il l'avait traitée, lors de leur première rencontre. Tout bien considéré, il était même surprenant qu'ils aient pu s'engager aussi loin sur le chemin de l'amour.

Ah, comme il regrettait ces instants de passion partagée, leur intimité, leurs chuchotements, leurs rires complices et leurs caresses enivrantes...

Un étrange remue-ménage alerta soudain Adam. Des camionnettes et des véhicules divers encerclaient la maison et l'ancienne grange. Ses élèves vérifiaient méthodiquement les entrées. Des accords de musique indiquaient que l'orchestre se préparait à jouer.

Avec un soupir, il se leva, s'approcha lentement de la grange. Une fois à l'intérieur, il s'installa dans un coin reculé d'où il pourrait observer Madeline en toute tranquillité.

Quelques instants s'écoulèrent, puis il regarda vers le buffet. A son grand étonnement, Madeline était là qui bavardait avec Sara et Jerry Winslow. Comment? Nul applaudissement n'avait donc salué son entrée? Pas un flash? Pas un seul garde du corps pour la protéger d'une meute de fans en quête d'autographes?

Lui qui s'attendait à une apparition triomphale de la célèbre Melody Richards! Au lieu de cela, il découvrait Madeline Richardson, nonchalamment appuyée contre le mur, les pouces passés dans la ceinture de son jean délavé. Elle portait la même chemise à carreaux jaunes que ses jeunes auxiliaires.

Une heure s'écoula dans une joyeuse ambiance. Même engagé dans une conversation, Adam ne pouvait détacher son regard de Madeline. Elle allait de groupe en groupe, riant, plaisantant. Avec un serrement de cœur, il notait son geste familier pour rejeter ses cheveux en arrière. On sentait que, ce soir, c'était Madeline Richardson qui recevait ses amis et voisins, en toute simplicité. Oui, ce soir, en dépit des mesures de sécurité, Madeline demeurait elle-même, la jeune femme belle, généreuse, désirable, qu'il aimait éperdument.

Une douleur intolérable étreignit Adam. Les yeux fixes, il se dirigea vers la porte, traversa la cour. Des milliers d'étoiles scintillaient dans un ciel de velour sombre. Durant quelques secondes, il les contempla, puis commença à s'éloigner.

A l'instant précis où il allait franchir la barrière, une main ferme s'abattit sur son épaule.

— Me reconnais-tu, Crawford? Je suis Spencer McCrory, annonça une voix basse.

Dans un mouvement instinctif, Adam agrippa la main qui lui enserrait l'épaule et contraignit Spencer à mordre la poussière. Comme il l'immobilisait au sol d'une poigne de fer, le jeune homme protesta :

274

— Hé, une minute ! Est-ce une manière de trai-
ter un ami ?

Adam relâcha son étreinte.

— Quelle sorte d'ami ? riposta-t-il. Te rends-tu
compte du choc que risque d'éprouver Madeline en
t'apercevant ?

Tout en se massant le poignet, Spencer gémit :

— Aïe, tu n'y vas pas de main morte quand il
s'agit de la protéger !

— Et cela t'étonne... de la part d'un lâche.

— Ce n'est pas du tout ce que je voulais dire.
Attends que je reprenne mon souffle et je t'ex-
pliquerai.

Pendant que Spencer s'époussetait, Adam remarqua qu'il portait l'inévitable chemise à carreaux
jaunes.

— Tu ne fais tout de même pas partie du service
d'ordre ? s'exclama-t-il.

— Non. Des musiciens. Tu vas te sentir plutôt
ridicule, figure-toi.

— Ce ne sera pas la première fois, convint
Adam, en soupirant.

— Oh, console-toi. Cela arrive à la plupart des
gens... sauf moi, bien entendu.

Adam réprima un sourire.

— Je constate que tu as le même sens de la
repartie que Madeline...

— Si seulement...

— Elle est unique, n'est-ce pas ?

— Hum, tu me parais sérieusement épris.

Adam se cantonna dans un silence prudent. D'un

geste spontané, Spencer lui tendit la main et déclara:

— Tu devrais me remercier. Je t'ai rendu un
immense service en t'empêchant de partir... Un
bon conseil: surtout assiste au spectacle.

Quand Adam pénétra de nouveau dans la
grange, l'orchestre jouait... sans Madeline. Il
déambula au hasard, rencontra Kara.

— Bonjour, professeur, fit-elle avec un clin
d'œil malicieux. Comment allez-vous?

— J'ai l'impression d'être mort depuis trois semaines et vous le savez pertinemment.

— Quatre semaines, très exactement. Et Madeline présente les mêmes symptômes.

Adam regarda dans la direction de leur hôtesse,
toujours très entourée. Le cœur serré, il nota
qu'elle avait mauvaise mine. Aucun sourire n'éclai-
rait son visage tendu.

— Pourquoi ne chante-t-elle pas? s'étonna-t-il.

L'espace d'une seconde, Kara parut déconcertée, puis éclata de rire.

— On voit que vous n'êtes pas du pays! Mais si,
elle chantera... tout à l'heure, avec son ancien
groupe — le groupe que nous formions au collège,
Denny, Spencer, moi, plus quelques autres que
vous ne connaissez pas. Ils doivent se promener
dans les parages, ajouta-t-elle en scrutant la foule.

— Ils portent des chemises à carreaux jaunes, je
parie.

— Oui. Cet uniforme a un but très particulier:
permettre de repérer instantanément les personnes
ayant le droit d'entrer dans la maison.

— Je vois, murmura Adam, dépité.

A lui, on n'avait pas offert d'uniforme !

— Adam Crawford, s'exclama Kara. Vous boudez, ma parole ! Comment feriez-vous partie des élus alors que, pas une fois, vous n'avez appelé Madeline durant ces dernières semaines ?

— Je craignais de l'influencer. Sa décision est prise ; elle sait ce qu'elle veut.

— Je vous trouve bien affirmatif. Et si elle avait changé d'avis ?

— Elle découvrirait un moyen de me le faire savoir, j'imagine.

— J'imagine, répéta Kara en lui adressant un deuxième clin d'œil. Surtout, ne vous éloignez pas. Bientôt, vous aurez le privilège d'entendre Kara Winslow, la célèbre musicienne.

Resté seul, Adam sombra dans une profonde mélancolie. Prise dans le tourbillon de ses amis, Madeline lui semblait lointaine, comme étrangère. Lui reviendrait-elle jamais ? Avec la sensation d'étouffer, il sortit de nouveau à l'air libre.

Madeline consulta nerveusement sa montre. D'ici quelques minutes, il serait temps de rejoindre son groupe. Ils se produiraient en dernier, juste avant l'effeuillage du maïs. Ensuite, on danserait.

La sortie discrète d'Adam ne lui avait pas échappé. Pourquoi ne réapparaissait-il pas ? Ah, elle aurait dû lui parler ! Mais l'aurait-il seulement écoutée ? Après la manière dont elle l'avait éconduit, comment oser lui proposer de tout recommencer à zéro ?

Et son sourire! Ce joyeux sourire qui illuminait ses yeux, s'était-il définitivement effacé? Selon Spencer, Adam était torturé de remords après la mort de Warren. A force de volonté, il avait réussi à surmonter cette épreuve. Et maintenant, par sa faute à elle, il éprouvait bien des tourments.

Restait une ultime lueur d'espoir... était-elle sur le point de s'éteindre? Un jour, Adam lui avait reproché de ne savoir s'exprimer qu'à travers ses chansons. Soit, mais comment lui chanter son amour s'il n'était pas là pour l'entendre?

Un léger coup de coude la fit soudain sursauter.

— Oh, c'est toi, Denny...

— Ne fais pas cette tête, lui chuchota son ami d'enfance. Mes informateurs veillent. Rassure-toi, ton professeur n'a pas quitté le domaine. Dès que le son divin de ta voix atteindra ses oreilles, je parie qu'il se précipitera dans la grange.

Madeline esquissa un faible sourire.

— Tu crois? Dire que j'ai passé des nuits et des nuits à composer cette chanson et qu'il n'y aura personne pour l'apprécier!

— Personne? répéta Denny. Il y a environ huit cents spectateurs dans cette salle qui attendent avec impatience la grande Melody Richards.

Là-dessus, il la prit par la main et l'entraîna vers les coulisses.

La représentation se révéla une extraordinaire réussite. Le public accueillit avec enthousiasme les anciens succès du groupe: chansons folkloriques et *country music*, qu'ils interprétaient autrefois, au temps de leur adolescence. Conformément à la prédiction de Denny, Adam réapparut aussitôt que Madeline commença à chanter. Elle l'aperçut, debout à côté du tas de maïs. On aurait dit qu'il évitait délibérément de la regarder. En dépit des efforts de la jeune femme pour attirer son attention, il s'obstina dans son attitude. Rien ne semblait susciter sa curiosité, ni le rythme endiablé des guitares, ni l'ardeur joyeuse des musiciens, ni les duos qu'elle exécuta avec Spencer.

Enfin, le dernier numéro prévu au programme s'acheva. Madeline hésitait encore. Puis, elle décida de se jeter à l'eau.

Le cœur battant à se rompre, elle rejeta ses mèches en arrière dans ce geste familier, s'empara du micro et se dirigea vers la rampe. Désespérément, elle cherchait le regard d'Adam. Peine perdue! Il continuait à fixer le sol.

Un silence planait dans la salle. Madeline s'éclaircit la voix avant de commencer:

— Chers amis, je n'avais pas l'intention de chanter en solo, ce soir. Cependant, cette fête revêt une signification toute particulière pour moi. D'abord, je tiens à vous remercier, vous, mes camarades, poursuivit-elle en se tournant vers le groupe. C'est grâce à votre soutien que j'envisage de nouveau l'avenir avec confiance.

Un tonnerre d'applaudissements salua cette déclaration. Madeline sourit, alla chercher sa guitare et annonça:

— Voici une chanson différente de toutes celles

que j'ai écrites jusqu'ici. Une chanson très spéciale... la seule signée du nom de Madeline Richardson.

Les yeux rivés sur Adam, la jeune femme effleura les cordes, joua doucement le prélude. Ensuite, d'une voix un peu tremblante, elle se mit à chanter. Dès les premières paroles, Adam releva la tête et leurs regards se croisèrent enfin. Alors, dans une sorte d'extase, Madeline oublia le reste du monde... Elle ne chanta plus que pour lui.

« Je goûtais jadis la paix des crépuscules,
Le charme de l'aurore,
Les nuits semées d'étoiles.
Alors, je ne te connaissais pas.
Aujourd'hui, c'est ton sourire qui me charme,
Rien ne vaut la lumière de tes yeux.

Je courais jadis sous le soleil d'été,
La brise tiède caressait ma joue,
Ebouriffait tendrement mes cheveux.
Alors, je ne te connaissais pas.
Aujourd'hui, c'est ton baiser que je préfère ;
Rien ne vaut la douceur de tes lèvres.

Je chantais jadis pour moi seule.
Mon bonheur, je le gardais
Prisonnier au fond de mon cœur.
Alors, je ne te connaissais pas.
Aujourd'hui, prends ma chanson,
Ouvre tout grand mon cœur,

Car l'amour nous suffira toujours. »

Tandis qu'elle répétait la dernière strophe, des larmes l'aveuglèrent. La note finale résonna dans la vaste grange silencieuse. Exactement comme à la fin de ses concerts, chacun demeura immobile à sa place — chacun, sauf Adam qui s'éclipsa rapidement.

Quelle terrible déception! Madeline ne parvenait pas à y croire. Pourtant, il avait reçu son message... elle l'avait lu dans ses yeux pendant qu'elle lui dédiait sa chanson.

Afin d'éviter la cohue, elle sortit par la porte de derrière. Le cœur serré, elle s'adossa au vieux mur de pierre. Quelques minutes s'écoulèrent, insupportables d'angoisse et d'amertume. Puis, des pas crissèrent sur le gravier. *Non, je vous en prie, allez-vous en... Je ne veux voir personne*, plaida-t-elle tout bas.

— Eh bien, pourquoi vous cacher alors que les festivités battent leur plein?

En entendant cette voix familière, Madeline sentit qu'un flot de larmes inondait ses joues.

— Hé, je ne suis pas venu pour te voir pleurer, fit Adam, inquiet.

Elle osa lever les yeux. Il lui souriait tendrement.

— Regarde ce que je t'apporte, murmura-t-il.

Au creux de sa main, un épi de maïs... rouge!

— Quel beau cadeau!

— Il ne s'agit pas vraiment d'un cadeau. Si j'ai bien compris la règle du jeu, tu me dois une récompense.

— Je t'ai expliqué que je ne participe pas à ce jeu.

— Petite rectification : tu m'as dit que *Gordon* ne voulait pas que tu y participes. A présent, je souhaite que tu joues.

Comme il l'attirait dans ses bras, elle s'effondra brusquement.

— Oh, Adam, fit-elle en sanglotant. Comme j'ai été stupide !

En guise de réponse, il s'empara de ses lèvres. Un émoi indescriptible envahit Madeline. Elle se lova contre lui, passa ses mains autour de son cou. Réclamant toujours sa bouche, il lui caressa les hanches, lentement, voluptueusement.

— Arrête, on pourrait nous voir, protesta-t-elle d'une voix faible.

Il s'écarta un peu, se mit à rire.

— Excuse-moi, j'ai tendance à oublier que tu es Melody Richards. Et je t'aime trop pour ne pas le montrer.

— Tu m'aimeras toujours quand nous serons vieux et que mes cheveux deviendront blancs comme neige ?

— Encore davantage, affirma-t-il. A en juger par la silhouette de ta mère, tu ne peux que vieillir avec charme.

— Tu as rencontré ma mère ?

— Je l'ai entrevue. Et j'avoue être surpris que tu l'aies invitée.

— J'ai dû subir ton influence, répondit Madeline en souriant. Depuis que je te connais, j'éprouve un irrésistible besoin d'effacer les cicatrices du passé.

Adam se rengorgea, lui encercla les épaules.

— Splendide! déclara-t-il. A présent, tu as retrouvé la paix.

— Dis-moi, Adam, s'enquit-elle, les sourcils froncés. Supporteras-tu de vivre avec une vedette?

— Cela dépend. S'il s'agit de Melody Richards, je me crois capable d'endurer les pires tortures.

— Attention, les vedettes de mon niveau sont très susceptibles. Par exemple, elles se vexent quand un spectateur quitte la salle avant que le rideau soit tombé.

— Je vois. Eh bien, imagine un professeur environné de jeunes gens — ses élèves — qu'il doit retrouver le lendemain dans sa classe. Tout à coup, ce professeur s'aperçoit qu'il est très ému par une certaine chanson. Que lui conseilles-tu?

— Je suppose qu'il ferait mieux de sortir.

Subitement, le sourire d'Adam s'effaça, sa physionomie redevint grave.

— Ecoute, enchaîna-t-il. Dis bien à Melody Richards que je la comprends. Je sais qu'elle redoute le mariage... Pas question de la forcer. Seulement voilà, je ne peux plus me passer d'elle.

— Je crois la connaître assez pour décrire le type d'homme capable de lui redonner le goût du risque.

— Ah bon, quel type d'homme, à ton avis?

— Un professeur, par exemple. Grand, beau, un sourire dévastateur. Un homme très séduisant, qui adore plaisanter... et qui sait l'importance de l'amour. Un homme très fort, qui comprend ce que c'est que d'avoir peur — peur au point qu'on n'ose pas saisir la bouée de sauvetage qu'il vous tend.

— Hum, il sera difficile à trouver. Connaîtrais-tu, par hasard, un homme tel que celui-là?

— Un seul. Et, s'il veut bien, j'envisagerais volontiers de partager sa vie... jusqu'à la fin de mes jours.

Ouvrant tout grands les bras, Adam la reprit contre lui, la serra à l'étouffer.

— Son amour te suffira-t-il, Madeline? lui chuchota-t-il au creux de l'oreille.

— *Notre amour*, Adam, rectifia-t-elle. Oui, il nous suffira. L'amour nous suffira toujours.

Du nouveau chez Harlequin!

Trois grandes collections font peau neuve
avec un nouveau nom et une nouvelle couverture...

Collection Harlequin devient

6 titres par mois

COLLECTION AZUR

...tendre et envoûtante.

Séduction devient

2 titres par mois

COLLECTION OR

...intense et palpitante.

Tentation devient

COLLECTION ROUGE PASSION

4 titres par mois

...sensuelle et provocante.

Disponible en magasin dès maintenant.

Composé par Eurocomposition, Sèvres
Achevé d'imprimer en juillet 1988
sur les presses de l'Imprimerie Bussière
à Saint-Amand-Montrond (Cher)
pour le compte des éditions Harlequin

N° d'imprimeur : 4891 — N° d'éditeur : 2145
Dépôt légal : août 1988

Imprimé en France